20/2.

Sgéalaigheacht Chéitinn

STORIES FROM

KEATING'S

HISTORY OF IRELAND

Edited, with Introduction, Notes, and Vocabulary

by

OSBORN BERGIN

Third Edition

Published for the

ROYAL IRISH ACADEMY

DUBLIN

Reprinted 1991

Printed in Ireland by Fineprint Ltd.

FROM THE PREFACE TO THE FIRST EDITION

SOME years ago it struck me that a book of extracts from Keating's *History of Ireland* would serve a twofold purpose. First, from the linguistic point of view, it would familiarize readers of modern Irish with the beautifully clear yet thoroughly idiomatic form of the literary language which was the common property of the Gaelic race in Ireland and Scotland three hundred years ago. In the second place, it would form an easy introduction to that part of our native literature which has been cultivated with most success—the romantic tales.

No one will deny that Keating's stories are the most interesting part of his history, and that to them is due the popularity the work enjoyed in manuscript copies for two hundred years after its first appearance.

I leave to historical students the task of determining how much basis of fact lies behind these stories. To me they seem bits of folklore and romance, legend and saga, with picturesque settings of real events. The historic background becomes firmer in the later tales, but to the last the romantic element is still prominent. To the tales in general we may apply the well-known criticism of the *Táin bó Cuailnge*, by the scribe of the Book of Leinster, written about the year 1150: *quaedam figmenta poetica, quaedam similia vero, quaedam non*. To add, as he does, *quaedam ad delectationem stultorum*, would argue a needlessly harsh and unsympathetic attitude, and, as applied to Keating's stories, a total lack of literary taste.

At the time the selection was made, indeed until after the

text had been printed off, very few of the stories had been
published. Had the edition of the Irish Texts Society been
then completed, it would of course have materially altered
my choice of a subject. Under the circumstances it seemed
to me that the best thing to do was not to construct a
critical text, but to take one good manuscript and follow it.
That would serve as an introduction to the language of the
tales, and to the tales themselves, quite as well as if I had
used twenty manuscripts, while the difficult question of the
two recensions of the history does not concern those for
whom the book is intended. I have therefore followed the
text of a copy in the library of the King's Inns, Dublin,
written in 1657 by Seán Ó Maoilchonaire, with occasional
readings from H.5.26 and H.5.32, T.C.D.

As regards the orthography, I should have preferred
to leave the text in its seventeenth-century dress, but
in deference to the prejudices of modern readers, I have
modernized and in general normalized the spelling. But
I have not tampered with the forms or inflexions of words,
and where a change in the spelling would have implied a
change in the form of the word or its pronunciation, I have
let the old form stand. Thus *dol, cor* and the like have been
left as they were. I have followed the usage of modern
printed books in keeping *is* for the present indicative of the
copula. This, from its unstressed position, had fallen
together with the relative form *as*, and both are written *as*
in the manuscripts. Though the broad *s* and the neutral
vowel are common in the spoken language, most readers
will prefer the spelling *is* to avoid confusion with the pre-
position *as*. So for the preposition '*in*' I have written
i n-, against *a n-* of the manuscripts. But while modern-

izing the spelling, I have not felt called upon to put the clock back by turning Keating's *do-ni* into *do-ghni*, a form which had been archaic or obsolete centuries before his time, or *aniú* into *indiu*, nor have I followed later scribes in supporting purely etymological spellings like *biadhtach* for *biattach*.

O. J. B.

March 1909.

PREFACE TO SECOND EDITION

IN this edition the text has been revised, the introduction and vocabulary enlarged, and the notes for the most part rewritten. In the task of revision I have had much help and useful criticism from Miss Eleanor Knott. I have to thank Dr. Eoin Mac Neill for a note on the terms *buin-chios* and *aird-chios*, and Prof. T. F. O'Rahilly for directing me to the source of No. 9.

O. J. B.

February 1925.

PREFACE TO THIRD EDITION

THE introduction, notes and vocabulary have again been revised and enlarged. I have to thank Prof. O'Rahilly for further help, and Mícheál Ó Briain of Baile-mhic-íre for drawing my attention to some inaccuracies.

O. J. B.

August 1930.

CONTENTS

CONTENTS

INTRODUCTION

EARLIER VERSIONS AND SOURCES OF THE STORIES

1. A version of this tale occurs in the Yellow Book of Lecan (YBL.), from which it has been edited and translated by Whitley Stokes in *Revue Celtique*, ii. A similar story about King Eochaid's ears has been edited by Kuno Meyer in *Otia Merseiana*, iii.

2. There are several Middle Irish and Modern Irish versions of this famous tale. The most important are that contained in the Book of Leinster (LL.) *Longas mac nUisnig*, edited by Windisch in his *Irische Texte*, i. 67–82; the YBL. version, *Loinges mac nUisleand*, edited by O'Curry in the third volume of *Atlantis*; that edited by O'Flanagan, *Loinges mac nUisnigh*, in volume i. of the Gaelic Society's Transactions, 1808; and the early modern version in the Glenn Masáin MS., Edinburgh, *Oided mac nUisnig*, edited by Stokes, *Irische Texte*, ii.

3. Five Middle Irish versions of *Aided Chonchobuir* have been edited by K. Meyer in his *Death Tales of the Ulster Heroes*, R.I.A. Todd Lect. Series, vol. xiv, from LL., Edinburgh MS. xl, 23. N. 10 (R.I.A.), D. 4, 2 (R.I.A.), and the Liber Flavus Fergusiorum.

4. The Middle Irish version *Aided Cheit maic Mágach* has been edited by K. Meyer in *Death Tales*, from the Edinburgh MS. xl.

5. The earliest versions from Egerton 88 (Brit. Mus.) and YBL. have been edited by R. I. Best in *Ériu*, ii. Thurneysen has published a critical study of the various versions in Die Sage von CuRoi, *Zeit. für celt. Phil.*, ix. 189–234.

6. For this story see No. 17, where it occurs again.

7. The story of the *Bórama* is told at length in LL., from which it has been edited with translation by Whitley Stokes in *Rev. Celt.* xiii, and by S. H. O'Grady in *Silva Gadelica*.

8. See O'Grady's edition of the Battle of Crinna from the Book of Lismore, *Silva Gadelica*, i. 319 sq.; ii. 359 sq.; and a shorter version from LL., ib. ii. 491–3 and 540–1.

9. This is found in an early modern version of *Cath Mhuighe Mocruimhe*, ed. Mícheál Ó Dúnlainge, *Gaelic Journal*, xvii. 437–8.

10. The oldest copies of this story are contained in two twelfth-century MSS., LL. and Rawlinson B. 502. It has been edited with translation by Whitley Stokes in *Rev. Celt.* xxv, under the title of *Esnada Tige Buchet*, The Songs of Buchet's House.

11. The tale summarized by Keating occurs in the Book of Lismore, fo. 126 a 1–140 a 2, whence it has been edited with translation by M. L. Sjoestedt in *Rev. Celt.* xliii and xliv.

13. There is a summary of this story in Leabhar na hUidhre (LU.), p. 50, in the tract called *Senchas na Relec*, which is printed with a translation in Petrie's *Ecclesiastical Architecture of Ireland*, p. 97 sq.

15. The story of the Three Collas is given in LL. 332, whence it has been published with translation by O'Grady in *Silva Gadelica*, ii. 461 and 506.

16. A version of this tale occurs in the Bodleian MS. Rawlinson B. 502, whence it has been edited and translated by K. Meyer, *Zeit. für celt. Phil.* ii. 134 sq., under the title of *Gein Branduib maic Echach ocus Aedáin maic Gabráin*. There is another version in YBL. 128 a, edited and translated by R. I. Best in *Medieval Studies in Memory of Gertrude Schoepperle Loomis*.

17. Similar stories of the early lawgivers will be found in the Laws, vol. i, p. 24.

18. The Middle Irish version in Rawlinson B. 512 is given by Stokes, *Tripartite Life of S. Patrick*, p. 556.

19. The oldest copy of this tale, *Cath Cairnn Chonaill*, is contained in LU. It has been edited with translation by Stokes, *Zeit. für celt. Phil.* iii. 203 sq. Keating, however, follows a later version, which has been edited by O'Grady in his *Silva Gadelica*, i. 396 sq., ii. 431–7, from a MS. of 1419. It is worth noting that in Keating's version Diarmaid's jester (*drúth*) has been turned into a *draoi*.

20. This tale is contained in YBL., from which it has been edited with translation by J. G. O'Keeffe in *Ériu*, i. 43 sq.

21. Cf. 19. This legend is inserted in the account of the battle

of Carn Conaill in the older version, *Zeit. für celt. Phil.*, and follows it in *Silva Gadelica.*

23. The stories connected with Colam Cille's visit to Ireland are taken from the introduction to some copy of the *Amra.* See Stokes's *Lives of Saints from the Book of Lismore*, 309 sq., and his edition of *Amra Choluimb chille* (the Eulogy of Saint Columba), *Rev. Celt.* xx. They are also found in O'Donnell's *Betha Coluimb Chille*, edited by A. O'Kelleher and G. Schoepperle, pp. 338–76.

24. The story of the origin of the name Colam Cille is given in the Leabhar Breac 236 b, quoted by Stokes, *Lismore Lives*, 301. Also in *Betha Coluimb Chille*, p. 40.

25. Keating himself quotes as his authority a tract called *Cath Bealaigh Mughna.* He evidently had before him the account of the battle given in *Three Fragments of Irish Annals* (TF.), edited by O'Donovan, Arch. and Celt. Soc., pp. 200–16, which he sometimes follows word for word.

26. This is an epitome of the saga *Caithréim Cellachâin Caisil*, contained in the Book of Lismore, from which it has been edited with an English translation by Professor Alexander Bugge, Christiania, 1905.

27, 28, and 29. The substance of these extracts will be found in the semi-historical tract, *Cogadh Gaedhel re Gallaibh*; see Todd's edition, pp. 118–35, 142–53, 212–17. But in 28 and 29 Keating follows a later romance on the Battle of Clontarf, published in the *Gaelic Journal* (GJ.), vii.

30 and 31. These two extracts stand apart. They do not properly belong to the native series of tales, for Keating is evidently following foreign sources such as the *Expugnatio Hibernica* of Giraldus Cambrensis, to which he refers. They are given here as specimens of historical narrative. An earlier Irish abridgement of the *Expugnatio Hibernica* has been edited and translated by Stokes in the *English Historical Review*, vol. xx.

I have been unable to trace earlier Irish versions of Nos. 12 and 22; and No. 14 is not a story, but a comment by Keating on druidism.

LANGUAGE

THE NOUN

Eclipsis

THE eclipsis of the initial of nouns is sometimes puzzling to modern readers. Eclipsis is regular when a preceding word, closely connected, formerly ended in *n*, which was carried on by a process like the French *liaison*. Such words are the prepositions *i n-*, *go n-*, 'with', *ré n-*, 'before', *iar n-*, the def. art. in the acc. sg. and gen. pl., any noun or adj. in the same cases, and the nom. and voc. sg. neut. The following prepositions governed the acc., *amhail*, *gan*, *go h-*, 'to', *idir*, *lé*, *mar*, *ré*, *tar*, *tré*, and *um*, with *ar*, *i n-*, and *fá* after verbs of motion. The following nouns in the Stories show traces of their old neuter gender, *arm*, *bé*, *buaidh*, *céad*, *dál*, 'race', *diombuaidh*, *fíor*, 'truth', *lá*, *loch*, *magh*, *rath*, *síol*, *sliabh*, *teach*, *tráth*, *trian*. But owing to the confusion of cases and the decay of the neuter gender eclipsis often spreads beyond its original limits. Thus the nom. *Síol nEóghain* gives a gen. *Síl nEóghain*. After the article governed by a preposition there is much fluctuation between aspiration and eclipsis. Thus *ó* took the dative, hence regularly *ón bhaile*, 5, 75; *ón chnoc*, 15, 67; but on the other hand *ón gcoinbhliocht*, 26, 60; *ón bhFraingc*, 31, 293. In the older language *san chath* would have meant 'in the battle', and *san gcath* 'into the battle', but these are used indiscriminately in the Stories, 3, 52; 8, 16, 38; 25, 125, 129, &c. So *don bhaile*, 12, 16, but *don mBrugh*, 13, 29, influenced by the old *gusan mBrugh* which is the reading of H.5.26. Attention is drawn in the notes to the more important of the analogical cases. Often the presence or absence of eclipsis in modern MSS. depends upon the taste and fancy of the scribe.

Declension

A few masc. monosyllables have a distinct form for the dat. sg., *fíor*, *ulc*, and the common *cionn*, *gioll*, *fud*. Keating would write *leis an bhfear*, but *don fhior*.

The old acc. sg. is found in some fem. nouns and adjectives, e.g. *an mbreith gcóir*, 6, 6. See the notes.

Some nouns are not inflected. These may be foreign proper names such as *Pádraig, Uilliam,* or native words which have lost their declension, such as *Dál* in *Dál gCais, triúcha* in *triúcha chéad, bheith* (as gen. 14, 18), *iomad,* 2, 43 (but gen. *iomaid,* 29, 2).

When the nom. pl. ends in *-e,* the gen. pl. usually has *-eadh: maioneadh.*

The following are more or less irregular:

teach, gen. *tighe, toighe,* dat. *tigh, toigh, teach,* acc. *teach;* pl. dat. *tighthibh.*

rí, gen. *riogh,* dat. *righ,* acc. *righ* (12, 28); pl. nom. *righ* (31, 271, also *riogha*), dat. *rioghaibh.*

cara, pl. *caraid.*

siúr, gen. *seathrach,* dat. *siair.*

glún, pl. *glúine,* dat. *glúinibh.*

lá, gen. *laoi,* dat. *ló, lá.*

mac, gen. sg. and nom. pl. *meic,* as in Mid.Ir., under the accent; unstressed between proper names the gen. sg. is written *mheic* or *mhic* indiscriminately.

THE ARTICLE

The def. art. is sometimes used with nouns followed by a proper name in the gen.: *an Iodh Morainn,* 6, 9; *as an gCraoibh-dheirg Chonchubhair,* 3, 19; *na Féile Parthalóin,* 31, 157. Such constructions, and even the double art. (*in Coimdiu na ndúla,* 'the Lord of the elements') are common in Mid.Ir.

The art. is regularly omitted before a noun defined by a rel. clause of the following type:

is é céad-chrann tarla dhó soileach, 1, 24.

gurab é sin diol do-bhéaradh orra, 3, 86.

is í roinn do bhíodh ar an gcáin sin, &c., 7, 26.

is é áit ar ghabhadar tír, &c., 31, 4.

The only exceptions are 13, 4 and 23, 50 (cf. 23, 53), where the presence of the art. is due to the following ordinal. For present-day usage see Canon O'Leary, *Papers on Irish Idiom*, p. 53.

THE DEMONSTRATIVE PRONOUN AND ADJECTIVE

The pronouns *so* and *sin* are stressed: *ann so, is fíor sin, díobh sin, iar sin* (but sometimes *ó shoin*).

The adjectives are enclitic, and the *s* is broad or slender according to the termination of the preceding word: *fán am so*, 25, 1; *an chuid se*, 1, 40; *ón chnoc soin*, 15, 67; *an rúin sin*, 1, 16. *sin* is rare after a broad consonant.

OMISSION OF THE RELATIVE

In O.Ir. the rel. pron. was omitted after the prep. *i n-*: *a tech i mbí*, 'the house he lives in.' In Mid.Ir. *ina n-* is also found. Examples of both constructions are common in Keating, as at the present day:

(a) *na tíre i mbíodh*, 'of the land in which he was,' 17, 14.

   gá slighe i ngéabhdaois, 29, 40.

   áit i raibhe, 25, 89.

   san áit ar (= *in ro*) *thoirling*, 11, 30.

(b) *trésan gcoill 'na raibhe*, 5, 75.

   as an mbroid 'na bhfuil agat, 23, 146.

   don bhoith iona raibhe, 10, 25.

   ar an raon ionar shaoil, 26, 47.

SUBSTITUTES FOR THE RELATIVE

The meaning expressed in other languages by the gen. of the rel. pron. can be expressed in Irish only by a periphrasis. Curious idioms have resulted at different times. Keating has two of these. (a) In 23, 41 he translates *abbatem presbyterum cuius iuri et omnis provincia et ipsi etiam episcopi . . . debeant esse subiecti*, 'to whose direction the whole province and even the bishops must submit.' As there is no word for *cuius* 'whose,' he writes *agá mbiadh an chríoch uile fána smacht*, lit. '*with whom* the whole land should be under *his* control.'

(b) More important is the construction connected with verbal nouns. 'You are building a house' may be translated in the language of Keating *ataoi ag tógbháil tighe*, lit. 'thou art at erection of house.' But we cannot turn 'the house which you are building' into the form 'the house *of which* thou art at erection.' The rel. implied by a verbal form is either nom. or acc. (with *atá*, of course, only nom.) and *tógbháil*, like any other noun, governs only the gen.; hence *an teach ataoi ag tógbháil* is as faulty as *ataoi ag tógbháil teach*. To avoid the difficulty there are three types in Early Modern Irish:

A. *an teach agá dtaoi thógbháil.*

B. *an teach ataoi do thógbháil.*

C. *an teach atá agat dá thógbháil.*

Of these A becomes rare after the Middle Irish period. C is the most logical; but it is not common in the literature,[1] and is now confined to certain districts. In B the rel. *ataoi* is inserted in the phrase *an teach do thógbháil*. There are two examples in the Stories; *na bhfileadh ataoi do thafann*, 'of the poets whom thou art banishing,' 23, 144; and *an Colam Cille atámaid do luadh*, 'the Colam Cille whom we are mentioning,' 24, 1.

This is still the common idiom, with the usual colloquial reduction of *do* before verbal nouns to *a*: *an obair atáim a dhéanamh*; *ag* for *a* in such phrases is a solecism unknown to the speech[2] or the literature, and *dhá* is probably a pedantic assimilation to type C.

SYNTAX OF THE VERBAL NOUN

The verbal noun has not yet developed into a true infinitive. It is still declined like a noun, and governs only the genitive: *ní toil liom fastódh na bhfileadh*, 23, 148, 'I am not willing to retain the poets,' lit. 'the retention of the poets is not will with me.' The meaning could also be expressed by *ní toil liom na fileadha d'fhastódh*, in which *fileadha* is made the subject and the verbal noun is attached

---

[1] Keating uses it in *Three Shafts* 7826: *is í an ghorta so atá ag Dia dá bagar ar na peacthachaibh úd.*

[2] At least in Ireland, but it has come into Scottish Gaelic from the non-relative construction.

to it in the dat. with the prep. *do*, lit. 'the poets for retention are not will with me.' This becomes the prevailing type. The syntax belongs formally to the stage of 'bread is good to eat', not to that of 'it is good to eat bread.'

The noun to which a verbal noun is appended in this way stands itself in case relation to what goes before. It may be

Nom. *cia dá roichfeadh* **an rí** *do bhearradh*, 1, 7.

Acc. *do-chualadar* **áitheas** *d'éirghe*, 15, 8.

Gen. *ré linn* **Mheidhbhe** *do bheith i gceannas*, 2, 2.

   go ham a **chiosa** *do thógbháil*, 11, 4.

Dat. *ré* **bráighdibh** *do chor uaidh*, 11, 36.

   óna **clogaibh** *sin do bhuain*, 23, 129.

Such constructions have been compared to that of the gerundive and participle in Latin, *effugiendorum dolorum causa*, '*chum na bpian do sheachna*'; *de proelio faciendo*, cf. *fán gcath do thabhairt*, 29, 33; *post urbem captam*, '*i ndiaidh na cathrach do ghabháil*.' Though the Latin and Irish idioms are of different origin, in each the word expressing the action is made the complement of what represents the logical object. The so-called bracketed construction hardly occurs in Keating except with personal pronouns, *ar í féin do bhreith leis*, 30, 15; *ré sinn do stiúradh*, beside the earlier *rénar stiúradh*.

But though the verbal noun cannot govern like a verb, it had from the Mid.Ir. period begun to detach itself from the purely nominal construction, for it sometimes stands, or is appended to a noun or pronoun standing, loosely in the nom. This arises through a blend of two or more constructions. For example, the phrase 'that the women desired to see him' might be turned idiomatically

(a) *go raibhe mian ar an mbanntracht ré hé féin d'fhaigsin* (or *réna fhaigsin*),

(b) *go raibhe 'na mhian ar an mbanntracht é féin d'fhaigsin*,

(c) *gur mhian leis an mbanntracht é féin d'fhaigsin*.

In the first ex. the subject is *mian*, in the other two it is the clause *é féin d'fhaigsin*. From a blend of these constructions we get

(d) *go raibhe mian ar an mbanntracht é féin d'fhaigsin,* 3, 53, in which *é féin* is out of syntactical connexion, but the clause *é féin d'fhaigsin* is felt to depend on *mian.* Similarly:

do iarr cead air **teacht** (= *do chum dula,* H.5.26), 31, 124.

nach raibhe neart dóibh **triall,** 20, 30.

tug . . . fuagra do gach aon . . . **dol,** 31, 228.

dá dtug fulang **bheith**[1] *ar seilbh cheannaigheachta,* 28, 59.

rug buidheachas ré Dia **bheith** *taoibh ris an mbradán,* 19, 41.

Keating usually avoids such loose syntax by using the proleptic *a* or an appropriate preposition:

agá *iarraidh air teacht,* 30, 11.

neart ná cumas . . . **ar** *Eirinn do chosnamh,* 31, 98.

do choimhéignigh iad **um** *theacht,* 25, 107.

nach raibhe ceart . . . aige **ar** *bheith innte,* 31, 47.

tug **do** (= *de*) *chomhairle dhó cheithre neithe do choimhéad,* 12, 4.

Modern dialectal constructions such as '*sí is buaidh iomlán ann, neoch buaidh a thabhairt air féin,* Tóraidheacht ar Lorg Chríosda, p. 237, in which *buaidh* can be parsed only as the object of *thabhairt* used as a real infinitive, are confined to Ulster and to Scottish Gaelic. Keating would have written *neach do bhreith bhuaidhe* or *buaidh do bhreith do neoch.*

SUBJECT AND PREDICATE

The syntax of the copula (*is*) and the substantive verb (*atá*), and the distinction between identification and classification clauses, were formerly less rigid than they are now. So we have *Gabhrán . . . fá rí Alban,* 16, 15, beside the usual *Fiachaidh . . . fá rí ar an Mumhain,* 11, 11; *ré linn . . . Chonchubhair (do bheith) 'na rígh Uladh* 2, 2; *ar mbeith d'Fhiachaidh 'na rígh Éireann,* 15, 1 (cf. 11, 57). In Mid.Ir. such constructions as *ba rí Érenn Conaire,* and *is Iudas Scarioth mé* are frequent.

[1] Perhaps this example belongs rather to accidence than to syntax, for *bheith* has lost its declension. In O.Ir. the gen. *buithe* would be used here.

NOTES ON PREPOSITIONS

ar represents O.Ir. *ar* (asp.), 'for, before,' *for*, 'on' (cf. 1, 33), and *iar n-*, 'after.' *for* did not aspirate, hence *ar tír, ar bioth*, &c. For eclipsing *ar* see *iar*.

as, found only before proclitics, *as an, as a, as nach*. Followed by a noun always *a* before a consonant and *a h-* before a vowel. Outside parts of Munster *as* has been generalized. The *a* is distinctly pronounced; *a tír*, 'out of the land,' sounds different from *a tír*, 'her land,' and *a lámhaibh*, 'out of the hands,' 20, 17, from *i lámhaibh* (MSS. *a lámhaibh*) 'in the hands.'

do and **de** are both written *do* before nouns. The confusion goes back to the O.Ir. period. The modern *de* of some dialects is really *de*, 'of him, it,' used for the simple prep., like *faoi* for *fá, as* for *a, air* (written *ar*) for *ar*, &c. Typical examples of *do = de* are *sgaoilis do Choin gCulainn*, 5, 39 (cf. *gur sgaoileadh dhe*, 12, 49); *do dhruim na mara*, 5, 45; *tug sé Dáirine do mhnaoi*, 7, 4; *tug do chomhairle dhó*, 12, 4; *leanaid don talamh*, 20, 29; *do chaobaibh*, 23, 123; *ceangailte don tseól-chrann*, 26, 117; *do shíor*, 24, 14. Note especially the difference between *táinig do ghuidhe an ríogh*, 'she came to beseech the king,' 1, 12, and *táinig do (= de) ghuidhe Mo Chua*, 'it came to pass through Mo Chua's prayer,' 20, 16.

go n- 'with,' now almost confined to *go leith* and *go leór*, is common in the Stories: *go líon a sluagh*, 8, 32; *go dtuile mhóir*, 13, 30. It is often strengthened by a following *lé, go sluagh-bhuidhin leis*, 5, 68, or by *maille ré*, 3, 44, &c.

iar n-, ar n-, 'after.' Note the idiom *ar dtriall . . . do Cheallachán*, not 'after' but 'while' or 'when Ceallachán was going,' 26, 37. In this sense it is found especially with *beith*: *ar mbeith do Chonchubhar ag toidheacht*, 3, 57; cf. 13, 29; 15, 1; 22, 15. One might expect the prep. *ag*, cf. *ag tilleadh dhó*, 4, 4; 5, 49; but *ag beith* does not occur. Sometimes the meaning is 'as (since) . . . was': *ar mbeith 'na dhuine shochma dhó*, 3, 51; *ar mbeith dhi i ngrádh*, 26, 44; *ar mbeith don fhuil ríoghdha dhó*, 24, 6.

lé, 'with, by.' It is commonly used to express the agent after the pass. voice: *gadtar leó,* 3, 18; *marbhthar lé Tadhg é,* 8, 74; *ittear an biadh libh,* 20, 36, &c., a construction which has died out in Ireland, the active being now used whenever the agent is mentioned. In a few cases it is used for *ré* (= *fri*): *ní lé riar a mhuirir,* 11, 4; *ioc lé,* 23, 26 (cf. line 20).

ré, O.Ir. *fri,* 'to, towards, against,' is generally kept distinct from *lé*: *adubhairt ris,* 1, 21; *léigeadh ris,* 1, 24; *ré linn,* 6, 4; *mar aon ré,* 2, 62; *láimh ré,* 5, 41; *tugadar a ngnúise ré lár,* 23, 197; *ucht ré hucht,* 11, 18; *an taobh do bhíodh ris an bhfeóil,* 14, 24; *do sgaradh ré,* 29, 7. It sometimes eclipses on the analogy of *ré n-, ria n-,* 'before' (from which also comes the form *réna*): *ré mbeith calma dhóibh,* 3, 2; *ré dtriall dóibh,* 'when they were going,' 26, 136 (cf. *ré linn*). It is, however, often used for *lé*: *ar teicheadh ré Deirdre,* 2, 42; *mar is toil ré Dia,* 19, 17; 24, 13 (cf. 23, 148; 25, 55); *robudh mithidh ris an righ dul,* 31, 311.

Keating appears to have deliberately avoided the prep. *chum* (*dochum*). To express motion towards he uses *do, go, d'ionnsaighe, d'fhios, i ndáil, i gcoinne, ar ceann,* &c., and to express purpose, *do* and *ré.* The forms *chugam, chugat,* &c., are common in his writings, but these are compounds of the prep. *go,* and have no etymological connexion with *chum.*

COMBINATIONS OF PREPOSITIONS

1. With Article, Possessives, and Relative

ag with poss. sg. 1 *agom,* 3 m. *agá,* '*gá,* f. *agá*; pl. 3 *agá.*
   ,, rel. *agá.*

de with art. *don*; pl. *dona.*
   ,, poss. sg. 2 *dot,* 3 m. *dá,* f. *dá*; pl. 2 *dábhar,* 3 *dá* (*dia,* 15, 25).
   ,, rel. *dá* (*dia,* 28, 27), *dár.*

do with art. *don*; pl. *dona.*
   ,, poss. sg. 1 *dom,* 3 m. *dá,* f. *dá*; pl. 1 *dár,* 3 *dá.*
   ,, rel. *dá.*

fá with art. *fán.*

    ,,   poss. sg. 1 *fám,* 3 m. *fána*; pl. *fána.*

    ,,   rel. *fá, fár.*

go 'to' with art. *gusan.*

go n- 'with' with poss. sg. 3 m. *gona,* f. *gona*; pl. 3 *gona.*

i n- with art. *isan, san, sa*; pl. *sna.*

    ,,   poss. sg. 1 *im,* 2 *it, id,* 3 m. *iona, 'na,* f. *'na*; pl. 1 *ionar,*
            3 *iona, 'na.*

    ,,   rel. *iona, 'na, ionar, 'nar.*

iar n-, ar n- with poss. sg. 3 m. *iarna, arna*; pl. 3 *iarna.*

lé with art. *leis an*; pl. *leis na.*

    ,,   poss. sg. 3 m. *léna.*

    ,,   rel. *lé a, lé, lér.*

ó with art. *ón*; pl. *óna.*

    ,,   poss. sg. 1 *óm,* 2 *ót, ód,* 3 m. *óna,* f. *óna*; pl. *óna.*

    ,,   rel. *ór.*

ré (= *fri*) with art. *ris an*; pl. *ris na.*

        ,,   poss. sg. 2 *rét,* 3 m. *ré a, ré, réna,* f. *ré a, réna*; pl. 3 *ré*
               a, réna.

        ,,   rel. *ré.*

ré n-, ria n- 'before' with poss. sg. 3 m. *réna, riana,* f. *réna.*

tré with art. *trésan.*

    ,,   poss. sg. 3 m. *tréna.*

    ,,   rel. *trénar.*

2. With Personal Pronouns

The following are to be noted:

ar with sg. 1 *oram*; pl. 1 emph. *oirne.*

as   sg. 2 *asad,* 3 f. *eiste, aiste.*

do (= *de*) sg. 3 f. *dí, di.*

do 'to' sg. 1 *damh.*

fá   pl. 3 *fúthaibh.*

gan   only sg. 3 *cheana,* lit. 'without it', hence adverbially
           'already, indeed', &c.

lé   sg. 1 *leam, liom,* 3 m. *leis, lais,* f. *lé.*

ré (= *fri*) sg. 1 *riom,* 2 *riot,* 3 m. *ris, fris,* f. *ria, ré*; pl. 1 *rinn,* 2 *ribh,*
     3 *riú.*

seach, seoch, sg. 3 m. *seacha.*

um   sg. 2 *iomad*; pl. 3 *iompa.*

THE VERB
Preverbs

The perfective preverb *ro*, now used only in the combinations
níor, gur, &c., is found in *ro sgríobh,* 23, 89; *ro ráidh,* 25, 60, 70; *ro an,*
31, 260; *ro fhágaibh,* 31, 311. Neither in *ro* nor in the common sub-
stitute *do* is the vowel elided: *do an,* 31, 310; *do éirigh,* 18, 19. The
same applies to *do* with impf. or cond. for older *no*: *do anadh,* 17, 16;
do fhágbhadh, 22, 12; *do iarrfá,* 19, 11. The *o* of the prep. *do* is, of
course, regularly elided before a vowel.

Tenses and Endings
The Present Indicative

The old 2 sg. active is found in *ataoi, -fuile, -faice.*

The 3 sg. has three endings: absolute *-idh* (*-aidh*), relative *-eas* (*-as*),
and conjunct *-eann* (*-ann*).

pl. 1 *-maid* only in *atámaid,* otherwise *-maoid, -mid.*

Note *thuigmid* (not *thuigimid*), 31, 210.

pass. The old ending in *dleaghair,* later *dlighthear.*

The Imperfect

pl. 3 *-cuirdis* (not *-cuiridis*), 14, 19; *do thionóildis,* 24, 7.

The s-Perfect

The normal type was as follows:

Singular	Plural
1 *do ghabhas*	*do ghabhsam*
2 *do ghabhais*	*do ghabhsaidh, do ghabhsabha(i)r*
3 *do ghabh*	*do ghabhsad*

The plural has been altered in Mid. and Mod. Ir., *do ghabhsam*
becoming *do ghabhama(i)r*[1] on the analogy of *fuarama(i)r, tánga-*

---

[1] From the Mid.Ir. period there has been fluctuation between *-mar*

ma(i)r, &c. But the ending of the 3 pl. *-sad, -sead* is still found in Keating, beside the later *-adar*. It is necessary to remark that this *-sad, -sead* has no connexion with the pronoun *siad*; the *s* is part of the tense-stem. The following instances occur in the Stories: *do bheansad, do chaillsead, do chinnsead, do chomhraigsead, do chuirsead, do-rónsad, -dearnsad, do fhreagairsead, do ghabhsad, do líonsad, do mharbhsad, do mhothuighsead, rugsad, do sgarsad, do sgiorrsad, do thachtsad, tugsad*.

The Preterite

In O.Ir. there was a preterite or narrative tense, *carais* 'he loved', *ni car* 'he did not love', as distinguished from the perfect, *ro car* 'he has loved', *ni rochar* 'he has not loved'. The 3 sg. absolute is still common in the narrative portions of Keating's writings. At a late period it takes the form of the relative present, but in good seventeenth-century MSS. it differs from that in two points—(1) the initial is never aspirated; (2) the final *s* is slender.

The following examples occur in these selections: *admhuighis, anais, aontuighis, athchuinghis, beadhgais, beanais, beannachais, beiris, buailis, ceileabhrais, cinnis, cromais, cuiris, éagais, éagcaoinis, éirghis, fágbhais, fáiltighis, fásais, fiafruighis, fillis, freagrais, gabhais, gairmis, geallais, glacais, gluaisis, greasais, guilis, iadhais, iarrais, innisis, iompuidhis, leanais, léigis, lingis, marbhais, musglais, nochtais, sgaoilis, sgreadais, sgríobhais, sléachtais, suidhis, taisbéanais, teilgis, teithis, tillis, tógbhais, tréigis, triallais, tuitis*.

The b-Future

sg. 1 conjunct *-leanabh*, 23, 175; 3 *-léigfe*, 29, 72; pl. 1 *fionnfam*, 19, 51; 2 *caithfidhe*, 29, 49.

pass. *beanfaidhear, cuirfidhear, muirbhfidhear*.

The ē-Future and Conditional

-eó- is regular before the last consonant of the stem: *aidmheóch-, imeór-, inneós-, sainnteóch-*; but *-ea-* in *do theigéamhadh*, 1, 23.

pass. *digheóltar*; with *-ea-*, cond. *-léamhthaoi*, 28, 49.

and *-mair*, and both are found in MSS. of Keating. The latter is now universal in the south, where alone the ending is in common use.

The Present Subjunctive
sg. 3 conjunct *-gluaise*, 29, 72.

IRREGULAR VERBS
I. The Copula

Ind. Pres.		is
	with ní	ní h-
	„ nach	nach
	„ má	mása (asp.), más
	„ cé, gé	gidh
	„ go	gonadh, gurab, gur
	„ ó	ós
Past		fá h-, bá h-, ba, doba, budh, dobudh, dob, robudh
	with ní	níorbh, níor (asp.)
	„ nocha	nocharbh
	„ nach	nachar (asp.)
	„ ná	nárbh, nár (asp.)
	„ gé	gér (asp.)
	„ go	gurbho h-, gurbh, gur (asp.)
	„ do a	darbh
	„ fá a	fár (asp.)
	„ i n- a	nar (asp.)
	„ lé a	lérbh
Interrog.		narbh
Fut. Rel.		bhus
Cond.		budh, dobudh
	with go	gomadh
	„ nach	nach budh
Subj. Pres. with má		madh
	„ go	gurab
Past	„ gé	gémadh
	„ go	gomadh
	„ dá	dámadh
	„ má	madh

II. **The Substantive Verb**

Pres. Ind.: sg. 2 ataoi, 3 atá, pl. 1 atámaid, 2 atáthaoi, 3 atáid.
   Depend. sg. 2 -fuile, 3 -fuil, pl. 1 -fuilmíd, 3 -fuilid.
Habit. Pres.: sg. 3 -bí, pl. 3 -bíd.
Impf.: sg. 3 do bhíodh, pl. 3 do bhídís.
Perf.: sg. 3 do bhí, -raibhe, pl. 3 do bhádar, -rabhadar.
Fut.: sg. 1 -biad, 3 biaidh, -bia.
Cond.: sg. 3 do bhiadh, pl. 3 -beidís.
Impv.: sg. 3 bíodh.
Pres. Subj.: sg. 3 -raibhe.
Past Subj.: sg. 1 -beinn, 3 -beith, pl. 3 -beidís.
Verb. Noun: beith, bheith.

III. **beirim**

Pres. Ind.: pl. 3 beirid.
   Pass. beirthear.
Impf.: sg. 3 -beireadh.
Pret.: sg. 3 beiris.
Perf.: sg. 3 rug, pl. 3 rugsad.
Fut.: sg. 3 béaraidh, rel. bhéaras.
   Pass. béarthar.
Cond.: sg. 3 do bhéaradh.
Impv.: sg. 2 beir.
Verbal of Necessity: beirthe.
Verb. Noun: breith.

IV. **adeirim**

Pres. Ind.: sg. 3 adeir.
Impf.: sg. 3 adeireadh.
Perf.: sg. 3 adubhairt, pl. 1 adubhramar (-air), 3 adubhradar.
Verb. Noun: rádh.

V. **do-bheirim**

Pres. Ind.: sg. 1 do-bheirim, 3 do-bheir, pl. 3 -tugaid.
Impf.: sg. 3 do-bheireadh, pl. 3 do-bheirdís.
   Pass. -tugthaoi.

Perf.: sg. 1 tugas, 2 tugais, 3 tug, do thug, pl. tugamair, 3 tugsad, tugadar.

Pass. tugadh.

Fut.: sg. 1 do-bhéar, -tiubhar, pl. 1 -tiubhram, 3 do-bhéaraid.

Cond.: sg. 1 -tiubhrainn, 3 do-bhéaradh, -tiobhradh, -tiubhradh, pl. 3 -tiobhradaois.

Impv. Pass.: tugthar.

Pres. Subj.: sg. 2 -tugair.

Past Subj.: sg. 1 -tugainn, 3 -tugadh.

Verb. Noun: tabhairt.

VI. gabhaim

Pret.: sg. 3 gabhais.

Perf.: sg. 3 do ghabh, pl. 3 do ghabhsad, do ghabhadar.

Fut.: sg. 1 -géabh, 3 géabhaidh.

Cond.: sg. 3 do ghéabhadh, pl. 3 -géabhdaois.

Past Subj.: sg. 3 -gabhadh.

Verb. Noun: gabháil, gen. gabhála.

VII. do-gheibhim

Perf.: sg. 1 fuaras, 2 fuarais, 3 fuair, pl. 1 fuaramair.

Pass. fríoth.

Fut.: sg. 2 do-ghéabhair, -fuighir, 3 do-ghéabhaidh.

Cond.: sg. 2 do-ghéabhthá, 3 do-ghéabhadh, -fuighbheadh.

Past Subj.: sg. 3 -faghadh.

Verb. Noun: fagháil.

VIII. fágbhaim

Impf.: sg. 3 do fhágbhadh.

Pret.: sg. 3 fágbhais.

Perf.: sg. 3 ro fhágaibh, do fhágaibh.

Impv.: sg. 2 fágaibh.

Verb. Noun: fágbháil.

IX. tógbhaim

Impf.: pl. 3 do thógbhadaois.

Pret.: sg. 3 tógbhais.

Perf.: sg. 3 do thógaibh, pl. 3 do thógbhadar.

Impv.: sg. 2 tógaibh.
Verb. Noun: tógbháil.

X. do-ním

Pres. Ind.: sg. 1 -déinim, 3 do-ní, pl. 3 do-níd.
  Pass. do-níthear.
Impf.: sg. 3 do-níodh, -déineadh, pl. 3 do-nídís.
Perf.: sg. 1 do-rinneas, 3 do-rinne, do-róine, -dearnaidh, pl. 1 do-
  rinneamair, 3 do-rinneadar, -dearnadar, do-rónsad, -dearnsad.
  Pass. do-rinneadh, do-rónadh, -dearnadh.
Fut.: sg. 1 do-ghéan, -dingean, -déan, pl. do-ghéanam.
  Pass. -déantar.
Cond.: sg. 3 do-ghéanadh, -diongnadh.
Impv.: sg. 2 déin, pl. 2 déanaidh.
Past Subj.: -déanadh, -dearnadh.
Verb. Noun: déanamh.

XI. ad-chím, do-chím

Pres. Ind.: sg. 1 do-chím, 2 -faice, 3 at-chí, pl. 3 ad-chíd.
  Pass.: -faicthear.
Impf.: pl. 3 at-chídís.
Perf.: sg. 3 ad-chonnairc, at-chonnairc, do-chonnairc, -facaidh,
  pl. 3 do-chonnarcadar, do-chonncadar.
  Pass. do-connarcas.
Cond.: sg. 3 -faicfeadh.
Verb. Noun: faigsin.

XII. do-chluinim, ad-chluinim

Pres. Ind.: sg. 1 do-chluinim.
Impf.: sg. 3 -cluineadh.
Perf.: sg. 3 do-chualaidh, ad-chualaidh, at-chualaidh, pl. do-chual-
  adar, ad-chualadar.
  Pass. at-chlos.
Verb. Noun: clos.

XIII. téighim

Pres. Ind.: sg. 3 téid.
Impf.: sg. 3 do théigheadh.

Perf.: sg. 3 do-chuaidh, -deachaidh, pl. 3 do-chuadar, -deachadar.
Fut.: sg. 1 rachad, 3 rachaidh.
Cond.: sg. 3 -rachadh, pl. 3 -rachdaois.
Impv.: pl. 2 éirgidh.
Pres. Subj.: sg. 3 -deachaidh.
Past Subj.: sg. 3 -deachadh, pl. 1 -deachmaois, 3 -téighdís.
Verb. Noun: dol, dul.

XIV. tigim

Pres. Ind.: sg. 3 tig, pl. 3 tigid.
Impf.: sg. 3 tigeadh, do thigeadh, pl. 3 tigdís.
Perf.: sg. 2 tángais, 3 táinig, pl. 3 tángadar.
Fut.: sg. 3 tiocfaidh, rel. thiocfas.
Cond.: sg. 3 tiocfadh, do thiocfadh.
Impv.: sg. 2 tarra.
Pres. Subj.: sg. 3 -teaga.
Past Subj.: pl. 3 -tigdís.
Verb. Noun: teacht, toidheacht.

XV. rigim

Perf.: sg. 3 ráinig, pl. 3 rángadar.

XVI. -feadar

Pret. Pass.: -feas.
Past Subj.: sg. 1 -feasainn.

LOAN-WORDS OCCURRING IN THE STORIES

The following lists are intended to interest students in the history of the language. They could doubtless be extended, and in some cases revised, for the historical study of the vocabulary of dated texts is comparatively new. It is often hard to say whether a word comes from Old Norse or Old English, from Old French or Middle English. The most important are the Latin loan-words, which entered the language at various periods from prehistoric times to the end of the Middle Ages. Some of the later loans may have come through French or English. Of the Latin words in the following list at least twenty-seven are loan-words from Greek, and two of these, *abbas* and *pascha*, are Semitic loan-words in Greek.

Loan-words from Latin

abb, *abbas* (f. Gk.).

adhradh, *adoro.*

aibhirseóir (aidhbhirseóir), *adversarius.*

aiéar, *āēr* (f. Gk.).

aifreann, O.Ir. oiffrend, *offerenda.*

aingeal, *angelus* (f. Gk.).

altóir, *altare.*

anam, *anima* (?).

Aoine, *ieiunium.*

archaingeal, *archangelus* (f. Gk.).

arm, *arma.*

bachall, *baculus.*

baisteadh, baistim, O.Ir. baithsed, baitsim, *baptizo* (f. Gk.).

bárc, Med.Lat. *barca.*

beannachaim, beannuighim, *benedico.*

beannacht, O.Ir. bendacht, *benedictio.*

caibidil, Mid.Ir. caiptel, *capitulum.*

cailleach, O.Ir. caillech from caille, *pallium.*

cáin, *canon* ? (f. Gk.).

Cáisg, *pascha* (f. Gk.).

caisléan, from caiseal (cf. the place-name), *castellum.*

cat, *cattus.*

Catoileaca (also Catoilice, &c.), Mid.Ir. cathalacda, catholectha, &c., but the mod. form has been influenced by French and English, *catholicus* (f. Gk.).

ceall, *cella.*

ceangal, *cingulum*; hence ceanglaim.

ceap, *cippus.*

ceileabhradh, ceileabhraim, *celebro.*

ceist, *quaestio.*

ciartha, from ciar, *cera*.

ciorcaill, *circulus*.

cíos, *census*.

ciste, *cista* (f. Gk.).

clann, O.Ir. cland, *planta*; hence saor-chlanna, saor-chlanda.

cléireach, *clericus* (f. Gk.); hence maiccléireach.

cliar, *clerus* (f. Gk.).

coinbhliocht, *conflictus*.

coinneal, *candela*; hence coinneal-bháthadh.

coisreagaim, *consecro*.

colam, *columbus*.

colltar, *culter*.

corghas, *quadragesima*.

coróin, *corona*.

corp, *corpus*.

crochaim, from croch, *crucem*; cf. cros from the nom. *crux*.

croinic, *chronica* (f. Gk.).

crois-fhighil, from cros, *crux*, and fighil, *vigilia*.

cúis, *causa*.

cumann, *communio*.

deochain, *diaconus* (f. Gk.).

díseart, *desertum*.

eaglais, *ecclesia* (f. Gk.).

easbog, O.Ir. epscop, *episcopus* (f. Gk.); hence aird-easbog.

féil, féile (saint's day), *vigilia*.

fromhadh, O.Ir. promad, *probo*.

geintlidhe, *gentilis*.

giolla, O.Ir. gildae, Med.Lat. *gilda*.

glóir, *gloria*.

grádh, *grădus* (grádh 'love' is a native word).

ifreann, O.Ir. iffern, *infernum*.

inntleacht, *intellectus*.

íodhal, *idolum* (f. Gk.); hence iúdhlaidhe.

Iúdaidhe, *Iudaeus* (f. Gk.).

lacht, *lac,* gen. *lactis.*

Laidean, (*lingua*) *Latina.*

laoch, *laicus* (f. Gk.); hence laochraidh.

leabhar, *liber.*

léaghaim, léaghadh, *lego*; hence léaghthóir.

léigheann, *legendum.*

leitir, O.Ir. liter, *littera.* The *e* may be due to the influence of the French and English forms.

líne, *linea.*

long, (*navis*) *longa*; hence luingeas and loingseach.

long-phort, from long and port, *portus,* originally a fortified haven or camp for the defence of shipping; hence foslonghphort.

maidean, O.Ir. matan, *matutina.*

mainistir, *monasterium* (f. Gk.); cf. muintear.

malluighthe, past part. pass. of malluighim, O.Ir. maldachaim, *maledico.*

manach, *monachus* (f. Gk.).

mias, *mensa.*

míle 'thousand', *milia* pl.; míle, 'mile' is the same word, formerly míle céimeann = *milia passuum.*

míleadh, O.Ir. míl, gen. míled, *miles*; hence tréin-mhíleadh.

muintear, *monasterium* (f. Gk.); an older borrowing than mainistir.

múr, *murus.*

nádúir, *natura.*

Nodlaig, *natalicia.*

nuimhir, *numerus.*

ongadh, *unguo.*

onóir, *honor*; hence onórach.

ór, *aurum.*

orduighim, ordughadh, from ord, *ordo.*

págánta (earlier pághánta), *paganus*; hence págántacht.

pearsa, O.Ir. persan, *persona.*

pobal, *populus*; hence puiblidhe.

póg, *pax,* acc. *pacem.*

port, *portus*; hence dún-phort, ríogh-phort, long-phort. There was probably confusion between *portus* and *porta,* cf. the O.Eng. *port*, 'town'; the later sense of 'castle' may be due to the influence of Fr. and Eng. *fort*.

pósaim, pósadh, *sponso*; cf. Fr. *épouser*.

proinn, *prandium*.

puball, *papilio* (cf. pavilion).

purgadóir, *purgatorium*.

reilig, *reliquiae*.

riaghalta, from riaghal, *regula*.

sagart, O.Ir. sacardd, *sacerdos*.

saighdeóir, *sagittarius*.

salm, *psalmus* (f. Gk.).

saltair, *psalterium* (f. Gk.).

saoghal, *saeculum*; hence saoghalta.

seachtmhain, *septimana*.

séanaim, from séan, *signum*.

sgiamh, *schema* (f. Gk.).

sgol, *schola* (f. Gk.).

sgríobhaim, *scribo*.

sléachtaim and sléachtain, *flecto*.

spréidh, Mid.Ir. préid, *praeda*.

sráid, *strata* (*via*).

stair, O.Ir. stoir, *historia* (f. Gk.).

suim, *summa*.

teampall, *templum*.

teannaim, *tendo*.

tearmann, *terminus*.

trácht, tráchtadh, *tractus*.

treimhse, O.Ir. trimse, (*spatium*) *trimense*.

uair, *hora* (f. Gk.).

ughdar, O.Ir. augtor, *auctor*.

uinge, *uncia*.

umhal, *humilis*; hence umhla and umhlacht.

From British (Welsh)

bainne, Mid.Ir. banna, 'drop', Corn. and Bret. *banne.*

caoin, Mid.Ir. caín, W. *cain,* 'beautiful'; hence caoineas and caon-dúthrachtach.

caoinim, O.Ir. coínim, W. *cwyn,* 'lament'; hence éagcaoinim and éagcaoine.

caorthann, W. *cerddin.*

carraig, Mid.W. *carrec,* 'stone.'

Gaoidheal, O.Ir. Goídel, W. *Gwyddel.*

Gaoidhealg, O.Ir. Goídelg, W. *Gwyddeleg.*

liathróid, O.Ir. gen. liathritae, W. *llithro,* 'to slip, glide' (?).

nós, W. *naws,* 'nature, disposition.'

óinmhid, W. *ynfyd,* from O.E. *unwitti.*

ród, Mid.Ir. rót, W. *rhawd,* from O.E. *rád.*

sainnt, Mid.Ir. sant, W. *chwant,* 'desire'; hence sanntuighim.

From Old English or Old Norse

bogha, O.E. *boga,* O.N. *bogi.*

bord, O.E. *bord,* O.N. *borð.*

bróg, O.E. *bróc,* O.N. *brók.*

cnaipe, Mid.Ir. cnapp, O.N. *knappr.*

iarla, O.N. *iarl.*

ridire, Mid.Ir. ritere, O.N. *riddari,* from O.Flem. *riddere.*

seól, O.E. *segel,* O.N. *segl;* hence seól-chrann.

From Old French, Middle or Modern English

balla, *wall.*

barántas, from baránta, Mid.E. and O.F. *warant.*

bharda, O.F. and Mid.E. *warde.*

buirgéis (also buirghéis), O.F. and Mid.E. *burgeis;* hence buirgéiseach, buirghéiseach.

cairdionál, O.F. and Mid.E. *cardinal.*

conntae, O.F. *cunté, conté,* Mid.E. *countee.*

doctúir, O.F. and Mid.E. *doctour.*

leagáid, Mid.E. *legasy*, from O.F. *legacie*, with ending of earráid &c., or from Med.Lat. *legatia*.

oighre, also oighir, eighre and eighir, O.F. and Mid.E. *eir*; hence oighreacht.

pápa, Mid.E. *pape*.

príbhiléid (earlier spelling prívíléid), *privilege*.

prinsiopálta, *principal*.

prionnsa, O.F. and Mid.E. *prince*.

príosún, O.F. and Mid.E. *prisun*.

saingeal, see note on 23, 208.

San (before proper names), O.F. *saen, sain*, Mid.E. *san, sen*.

sguibhéir (also sguighér), Mid.E. *squier, squyere*, from O.F. *esquier, escuier*.

sompla, Mid.E. *sample*.

stór, Mid.E. *stor*, from O.F. *estor*.

tubaist, Mid.E. *tempeste*, 'calamity.'

1. DÁ CHLUAIS CHAPAILL AR LABHRAIDH LOINGSEACH

Léaghthar ar Labhraidh Loingseach gur cuma chluas gcapaill
do bhí ar a chluasaibh, 7 uime sin gach aon do bhíodh ag bearradh
a fhuilt, do mharbhadh do láthair é, d'fhaitcheas go mbiadh fios na
hainmhe sin aige, ná ag aon-duine oile. Fá gnáth leis iomorra é féin
do bhearradh gacha bliadhna, mar atá, a mbíodh óna dhá chluais 5
síos dá ghruaig do theasgadh dhe. Fá héigean crann-chor do chor,
dá fhios cia dá roichfeadh an rí do bhearradh gacha bliadhna, do
bhrígh go gcleachtadh bás do thabhairt do gach aon dá mbearradh é.
Acht cheana tuitis an crann-chor ar aon-mhac baintreabhthaighe
do bhí i n-earr a haoise, 7 í ag áitiughadh láimh ré longphort an 10
ríogh. Agus mar do-chualaidh an crann-chor do thuitim ar a mac,
táinig do ghuidhe an ríogh, agá iarraidh air gan a haon-mhac do
bhásughadh, 7 í taoibh ris do shliocht. Geallais an rí dhi gan an
mac do mharbhadh, dá ndearnadh rún ar an ní do-chífeadh, 7 gan
a nochtadh do neoch go bás. Agus iar mbearradh an ríogh don 15
mhacaomh, do bhí tormach an rúin sin ag siadadh 'na chorp, gurbh
éigean dó bheith i luighe othrais, go nachar ghabh leigheas san
bhioth greim dhe, 7 ar mbeith i bhfad i gcróilighe dhó, tig draoi
deigh-eólach dá fhios, 7 innisis dá mháthair gurab tormach sgéil
rúnda fá hadhbhar tinnis dó, 7 nach biadh slán go nochtadh a rún 20
do ní éigin; 7 adubhairt ris, ó do bhí d'fhiachaibh air gan a rún do
nochtadh do dhuine, dol i gcomhgar cheithre rian, 7 tilleadh ar
a láimh dheis, 7 an céad-chrann do theigéamhadh dhó dh'agallmha
7 a rún do léigeadh ris. Is é céad-chrann tarla dhó soileach mhór,
gur léig a rún ria. Leis sin sgéidhis an toirrcheas tinnis do bhí 'na 25
bhroinn, go raibhe slán do láthair ag filleadh go teach a mháthar tar
ais dó.

Acht cheana, go grod dá éis sin tarla gur briseadh cruit Chraiftine,

7 téid d'iarraidh adhbhair cruite, go dtarla an tsoileach chéadna
30 lér léig mac na baintreabhthaighe a rún dó, 7 beanais adhbhar
cruite eiste. Agus ar mbeith déanta don chruit 7 í gléasta, mar
do shinn Craiftine uirre, is eadh do saoiltí ris gach n-aon dá gcluineadh
í gurab eadh do chanadh an chruit .i. Dá ó phill for Labhraidh Lorc
(.i. Labhraidh Loingseach) .i. Dá chluais chapaill ar Labhraidh
35 Lorc. Agus gach a mhionca do shinneadh ar an gcruit sin, is é an ní
céadna do tuigthí uaidh. Agus ar gclos an sgéil sin don rígh, do
ghabh aithmhéile é trénar básuigheadh do dhaoinibh leis, ag ceilt
na hainmhe sin do bhí air, 7 taisbéanais a chluasa ós aird don
teaghlach, 7 níor chuir ceilt orra ó shin amach.
40 Is mó shaoilim an chuid se don sgéal do bheith 'na finnsgéal
filidheachta ioná 'na stair.

2. MARBHADH CHLOINNE HUISNIGH

Is fada iomorra do bhí cogadh 7 coinbhliocht idir Chonnachtaibh
7 Ultaibh ré linn Mheidhbhe do bheith i gceannas Connacht 7 Chon-
chubhair 'na rígh Uladh. Ionnus cheana go mbeith fios fátha na
heasaonta tarla eatorra agat, a léaghthóir, cuirfead síos ann so mar
5 do marbhadh Clann Uisneach tar slánadh nó tar choimirce Fhear-
ghusa mheic Róigh 7 Chormaic Con-Loingeas 7 Dubhthaigh Daol
Uladh. Ag so síos go cumair éirim na heachtra.
Lá n-aon iomorra dá ndeachaidh Conchubhar, rí Uladh, do
chaitheamh fleidhe go teach Fheidhlimidh mhic Daill, sgéalaighe
10 Chonchubhair, 7 ré linn na fleidhe sin rug bean Fheidhlimidh
inghean álainn, 7 do-rinne Cathbhaidh Draoi, do bhí san chomhdháil
an tan sin, tuar 7 tairngire don inghin, go dtiocfadh iomad dochair
7 díotha don chóigeadh dá toisg. Arna chlos sin don laochraidh, do
thogradar a marbhadh do láthair.
15 Ní déantar, ar Conchubhar, acht béaraidh mise liom í, 7 cuirfead
ar oileamhain í, go raibhe 'na haon-mhnaoi agam féin.
Deirdre do ghairm an draoi Cathbhaidh dhi. Do chuir Con-

chubhar i lios ar leith í, 7 oide 7 buimeach dá hoileamhain, 7 ní
lamhadh neach don chóigeadh dol 'na láthair acht a hoide 7 a
buimeach 7 ban-cháinteach Chonchubhair, dá ngairthí Leabhar- 20
cham. Do bhí ar an ordughadh soin go beith ionnuachair dhi, 7 gur
chinn ar mhnáibh a comhaimsire i sgéimh.

Tarla iomorra dá hoide laogh do mharbhadh ré proinn d'ollmhu-
ghadh dhise lá sneachta, 7 iar ndortadh fhola an laoigh san sneachta,
cromais fiach dubh dá hól. Agus mar thug Deirdre sin dá haire, 25
adubhairt ré Leabharchaim gomadh maith lé féin fear do bheith
aice ar a mbeidís na trí dathæ at-chonnairc, mar atá, dath an fhéich
ar a fholt, dath fola laoigh ar a ghruaidh, 7 dath an tsneachta ar
a chneas.

Atá a shamhail sin d'fhior, ré ráittear Naoise mhac Uisneach, 30
i bhfochair Chonchubhair san teaghlach.

Más eadh, a Leabharcham, ar sí, guidhim-se thusa fána chor dom
agallaimh féin gan fhios.

Agus nochtais Leabharcham do Naoise an ní sin. Leis sin táinig
Naoise ós íseal i ndáil Deirdre, 7 cuiris i suim méad a seirce dhó, 35
7 iarrais air í féin do bhreith ar éalódh ó Chonchubhar. Tug Naoise
aonta ris sin, gér leasg láis é d'eagla Chonchubhair. Triallais féin
7 a dhá bhráthair .i. Ainle 7 Ardán, 7 Deirdre 7 trí chaogad laoch
mar aon riú, go hAlbain, áit i bhfuaradar congbháil bhuannachta
ó rígh Alban, go bhfuair tuarasgbháil sgéimhe Deirdre, 7 gur iarr 40
na mnaoi dhó féin í. Gábhais fearg Naoise gona bhráithribh uime
sin, 7 triallaid a hAlbain i n-oileán mhara ar teicheadh ré Deirdre,
tar éis iomad coimhbhliocht do thabhairt do mhuintir an ríogh 7 dóibh
féin dá gach leith roimhe sin.

Acht cheana, arna chlos i nUltaibh go rabhadar Meic Uisneach 45
san éigean-dáil sin, adubhradar mórán d'uaislibh an chóigidh ré
Conchubhar gur thruagh Clann Uisneach do bheith ar deóraidheacht
tré dhroch-mhnaoi, 7 gomadh cóir fios do chor orra 7 a dtabhairt
don tír. Do-bheir Conchubhar aonta ris sin ar impidhe na n-uasal,
7 tug Fearghus mhac Róigh 7 Dubhthach Daol Uladh 7 Cormac 50
Con-Loingeas i slánadh air féin fá bheith díleas dóibh.

Ar na heachtaibh sin cuiris Fearghus mhac Róigh Fiachaidh
a mhac féin i gcoinne Chloinne hUisneach, go dtug leis i nÉirinn iad
55 gona mbuidhin, 7 Deirdre mar aon riú, 7 ní haithristear a bheag dá
sgéalaibh go rochtain fhaithche na hEamhna dhóibh. Tarla Eóghan
mhac Durthachta, flaith Fearnmhoighe, ar an bhfaithche go sluagh
líonmhar maille ris, ré feall do dhéanamh ar Chloinn Uisneach ar
thoráileamh Chonchubhair, 7 mar rángadar Clann Uisnigh do láthair,
téid Eóghan d'fháiltiughadh ré Naoise, 7 ris an bhfáilte cuiris
60 sáthadh sleighe thríd. Mar do-chonnairc Fiachaidh mhac Fear-
ghusa sin, lingis idir Eóghan 7 Naoise, go dtug Eóghan an dara
sáthadh ar Fhiachaidh, gur mharbh mar aon ré Naoise é, 7 dá éis
sin lingis Eóghan 7 a shluagh ar Chloinn Uisneach, gur marbhadh
leó iad, 7 go dtugadar dearg-ár a muintir.

65 Mar do-chualaidh iomorra Fearghus 7 Dubhthach marbhadh
Chloinne hUisneach tar a slánadh féin, triallaid d'ionnsaighe na
hEamhna, 7 tugadar féin 7 muintear Chonchubhair coimheasgar dá
chéile, gur thuit Maine mhac Conchubhair leó, 7 trí chéad dá
mhuintir mar aon ris. Loisgthear 7 áirgthear Eamhain, 7 marbh-
70 thar banntracht Chonchubhair leó, 7 cruinnighid a rannta dá gach
leith, iad féin 7 Cormac Con-Loingeas, 7 fá hé líon a sluagh an tan
sóin trí mhíle laoch, 7 triallaid as sin i gConnachtaibh go Meidhbh
7 go hOilill, mar a bhfuaradar fáilte 7 fastódh. Ar rochtain ann sin
dóibh ní bhídís aon-oidhche gan lucht foghla uatha ag argain 7 ag
75 losgadh Uladh. Mar sin dóibh gur creachadh críoch Chuailnge leó,
gníomh dá dtáinig iomad dochair 7 díbhfeirge idir an dá chóigeadh,
7 do chaitheadar seacht mbliadhna ar an ordughadh sin gan osadh
aon-uaire eatorra.

Dála Dheirdre dá dtángadar na gníomha do luaidheamar, do bhí
80 i bhfochair Chonchubhair feadh bliadhna d'éis mharbhtha Chloinne
hUisnigh, 7 gemadh beag tógbháil a cinn, nó gean gáire do thoi-
dheacht tar a béal, ní dhearnaidh ris an ré sin é. Mar do-chonnairc
Conchubhar nár ghabh cluiche ná caoineas greim don inghin, 7 nach
tug ábhacht ná áineas ardughadh ar a haigheadh, do chuir fios ar
85 Eóghan mhac Durthachta, flaith Fearnmhoighe, 7 ar dtoidheacht

2. MARBHADH CHLOINNE HUISNIGH

d'Eóghan 'na láthair, adubhairt ré Deirdre, ó nach fuair féin a
haigneadh do chlaochlódh óna cumhaidh, go gcaithfeadh dol sealad
oile ré hEóghan, 7 leis sin cuirthear ar cúlaibh Eóghain 'na charbad í.
Téid Conchubhar dá dtiodhlacadh, 7 ar mbeith ag triall dóibh do
bheireadh sise súil fhíochdha ar Eóghan roimpe, 7 súil ar Chon-
chubhar 'na diaidh, óir ní raibhe dias ar talmhain is mó dá dtug
fuath ioná iad araon. Mar do mhothuigh iomorra Conchubhar ise
ag silleadh fá seach air féin 7 ar Eóghan, adubhairt ria tré ábhacht—

A Dheirdre, ar sé, is súil chaorach idir dhá reithe an tsúil sin do-
bheir tú oram-sa 7 ar Eóghan.

Arna chlos sin do Dheirdre do ghabh beadhgadh leis na briathraibh
sin í, go dtug baoith-léim as an gcarbad amach, gur bhuail a ceann
ar chairthe chloiche do bhí ar an lár roimpe, go ndearnadh mire
mion-bhrúitte dhá ceann, gur ling a hinchinn go hóbann eiste.
Gonadh amhlaidh sin táinig díbirt Fhearghusa mheic Róigh 7
Chormaic Con-Loingeas mheic Chonchubhair 7 Dubhthaigh Daol
Uladh, 7 bás Deirdre.

3. BÁS CHONCHUBHAIR

Nós iomorra do bhíodh fán am soin ann mar ghríosadh ar lucht
gaisgidh ré mbeith calma i gcomhlannaibh dhóibh, mar atá mír
curadh mar chomhartha buadh do thabhairt don tí ba foirtille
i bhfeidhm aoinfhir, 7 agá mbíodh buaidh láithreach gaisgidh ar
a chéile comhraig. Táinig cheana don nós so go dtarla imreasan
fán gcuraidh-mhír idir Conall Chearnach 7 Choin gCulainn 7
Laoghaire Buadhach i nEamhain, gur iarr Conall inchinn Mheis-
Geaghra, tréinfhear calma do Laighnibh, do marbhadh leis féin
i gcomhlann aoinfhir; 7 ar dtaisbéanadh inchinne an tréinfhir sin,
do léig Laoghaire 7 Cú Chulainn dá gcoimmeas ré Conall, arna
mheas nach dearnaidh ceachtar dhíobh féin a chommór sin do
ghníomh goile ná gaisgidh riamh. Fá béas iomorra fán am soin,
gidh bé tréinfhear lé dtuitfeadh tréinfhear tásgamhail oile, go

mbeanadh a inchinn as a cheann, 7 go gcumasgadh aol tríthe, go
15 mbíodh 'na liathróid chruinn chruaidh aige, agá taisbéanadh ar
aonaighibh 7 i gcomhdhálaibh coitcheanna, mar chomhartha buai-
dhe gaisgidh. Agus mar do-chonncadar dá óinmhid do bhí ag Conchu-
bhar méad an cheana do bhí ag cách ar an inchinn, gadtar leó
arna mhárach as an gCraoibh-dheirg Chonchubhair í.

20   Trí hárais iomorra do bhíodh i nEamhain ré linn Chonchubhair,
mar atá Bróin-bhearg 7 Craoibh-dhearg 7 Craobh-ruadh. San chéid-
teach do bhídís a n-othair, 7 is uime ᷄ in ráittear Bróin-bhearg ria,
do bhrígh go mbídís na hothair do bhíodh innte fá bhrón 7 fá
thuirse 7 fá mhéala ó ghoimh na ngon 7 na ngalar do bhíodh orra
25 innte. An dara teach, dá ngairthí Craoibh-dhearg, is ann do bhídís
na hairm 7 na seóide uaisle i gcumhdach, 7 is uime sin do chuireadar
inchinn Mheis-Geaghra i dtaisgidh ann mar gach séad uasal oile.
An treas teach do bhí ag Conchubhar, an Chraobh-ruadh do
gairthí dhi, is innte do riarthaoi é féin mar aon ré líon a
30 laochraidhe.

Dála an dá óinmhid, iar mbreith inchinne Mheis-Geaghra as an
gCraoibh-dheirg, amhail adubhramair, do-chuadar ar faithche na
hEamhna, go rabhadar ag iomáin na hinchinne amhail liathróid
ó láimh go láimh, go dtáinig onchú uilc ar Ultachaibh .i. Ceat
35 mhac Mághach, tréinfhear do Chonnachtaibh, gur bhréag inchinn
Mheis-Geaghra óna hamaidibh, 7 go rug leis i gConnachtaibh í.
Agus gach a mhionca do thigeadh i n-iorghail i n-aghaidh Ultach
do bhíodh inchinn Mheis-Geaghra ar a chrios aige, i ndóigh éachta
do dhéanamh ar Ultachaibh. Óir do bhí i dtairngire Meis-Geaghra
40 dá dhíoghail féin ar Ultachaibh dh'éis a bháis, 7 do mheas gurab
don inchinn do thiocfadh fíoradh na fáistine sin, gonadh uime sin
do chleachtadh Ceat inchinn Mheis-Geaghra do bheith ar iomchar
aige, do shúil ré neach éigin d'uaislibh Uladh do mharbhadh lé.

Téid iomorra Ceat, go sluagh líonmhar maille ris, go dtug táin
45 mhór bhó a Fearaibh Rois i nUltaibh, 7 leanaid drong mhór
d'Ultaibh é, 7 cruinnighid fir Chonnacht don leith anoir d'fhurtacht
Cheit, 7 Conchubhar don leith aniar d'fhurtacht Ultach. Mar

do-chualaidh trá Ceat go raibhe Conchubhar san tóraidheacht, cuiris fios go banntracht Chonnacht, do bhí ar cnoc ag feitheamh an dá shluagh, agá iarraidh orra Conchubhar do bhréagadh dá 50 bhféachain féin, ar mbeith 'na dhuine shochma sholabhartha dhó, óir ní léigfidís Ultaigh é féin san chath i gcoinne Chonnacht. Arna chlos iomorra do Chonchubhar go raibhe mian ar an mbanntracht é féin d'fhaigsin, triallais 'na aonar ón tulaigh 'na raibhe d'fhios an bhanntrachta, 7 tig Ceat ós íseal don leith oile go raibhe i 55 meadhón an bhanntrachta d'oirchill ar Chonchubhar do mhar- bhadh. Ar mbeith cheana do Chonchubhar ag toidheacht i ngar don bhanntracht, éirghis Ceat, 7 do-ní inchinn Mheis-Geaghra d'inneall 'na chrann-tábhaill ré Conchubhar do mharbhadh. Ar bhfaigsin Cheit dó, triallais tar ais i measg a mhuintire féin, 7 ag 60 dol go Doire dá Bhaoth dhó, tug Ceat urchar d'inchinn Mheis- Geaghra as a chrann-tábhaill 'na dhiaidh, gur bhuail 'na bhaitheas é, gur briseadh a sheicne don urchar sin, gur lean inchinn Mheis- Geaghra dá bhaitheas.

Agus leis sin tigid a mhuintear féin dá fhóirithin ó Cheat. Cuirid 65 fios an tráth soin i gcoinne Fhínghin Fáithliaigh, 7 ar dtoidheacht do láthair is eadh adubhairt, dá mbeantaoi an meall soin as a cheann, go bhfuighbheadh bás do láthair.

Is fearr linn, ar cách, ar rí do bheith ainmheach ioná a éag.

Leighistear lé Fínghin é, 7 adubhairt ris ainnséin gan fearg do 70 dhéanamh ná dol ar each ná feidhm foiréigneach do dhéanamh, 7 dá ndearnadh, lé gluasacht friothbhuailte a inchinne féin, go dteilgfeadh an meall as a cheann, 7 go bhfuighbheadh bás.

Mar sin dó seacht mbliadhna gusan Aoine 'nar crochadh Críost, do réir dhruinge ré seanchas, 7 mar do-chonnairc claochlódh 75 neamhghnáthach na ndúl 7 urdhubhadh na gréine san éasga lán, fiafruighis do Bhacrach, draoi do Laighnibh do bhí 'na fhochair, créad dá dtáinig an mhalairt neamhghnáthach soin ar reannaibh nimhe 7 talmhan.

Íosa Críost Mac Dé, ar an draoi, atá agá bhásughadh anois ag 80 Iúdaidhibh.

Truagh sin, ar Conchubhar, dá mbeinn-se do láthair do mhuir-
bhfinn a raibhe timcheall mo Ríogh dá bhásughadh.

Agus leis sin tug a chloidheamh amach, 7 téid fá dhoire choille
85 do bhí láimh ris, gur ghabh agá ghearradh 7 agá bhuain, 7 is eadh
adubhairt, dá mbeith i measg na nIúdaidheach, gurab é sin díol
do-bhéaradh orra. Agus ar mhéad na dásachta do ghabh é, do
ling an meall as a cheann, go dtáinig cuid dá inchinn 'na dhiaidh,
7 leis sin go bhfuair bás. Coill Lámhraidhe i bhFearaibh Rois
90 ghoirthear don mhuine choille sin.

Ar mbeith marbh do Chonchubhar tairgthear ríoghdhacht Uladh
don tí do bhéaradh corp Chonchubhair leis gan sgíth go hEamhain.
Tarla giolla ag Conchubhar ar an láthair sin darbh ainm Ceann
Bearraide, 7 i ndóigh ris an ríoghdhacht dá rochtain féin, tógbhais
95 an corp go calma, 7 rug lais go hArd-achadh Sléibhe Fuaid é, gur
bhris a chroidhe, 7 go bhfuair bás ann sin. Gonadh trésan ngníomh
sin atá an seanfhocal adeir gurab í ríoghdhacht Chinn Bhearraide
iarras neach, an tan chuireas roimhe go huaill-mhianach céim do
rochtain is airde ioná mar do fhéadfadh do ghreamughadh.

100 Acht gé chuirid ughdair an tseanchasa síos an stair se Chon-
chubhair, 7 gurbh fhear comhaimsire do Chríost é, do réir fhírinne
an tseanchasa ní rugadh Críost go haimsir imchéin i ndiaidh
Chonchubhair. Agus is amhlaidh atá fírinne na staire se, gur
thairngir Bacrach, draoi do Laighnibh, tré fháistine go ngeinfidhe
105 Críost an Tairngeartach, Mac Dé, 7 go ngéabhadh colainn, 7 go
n-imeóradaois na hÍodhail bás air, 7 gurab de tiocfadh fuasgladh
an chinidh dhaonna a hanbhroid an aibhirseóra. Agus arna chlos
sin do Chonchubhar, do ghabh dásacht amhail adubhramar é, 7 do
ghabh tré chombáidh ré Críost ag gearradh Choille Lámhraidhe
110 i riocht na nÍodhal, go bhfuair bás don bhfeidhm sin.

Gibé iomorra do chuirfeadh i n-iongantas go bhféadfadh Bacrach
nó draoi oile dá raibhe págánta bás Chríost do thairngire, cidh fár
chóra dona *Sibillae* do bhí págánta Críost riana ghein do réamh-
fhaigsin ioná do Bhacrach nó dá shamhail oile? Uime sin ní
115 díchreitte an stair mar so.

4. MARBHADH CHEIT AGUS BHÉALCHON

Fá tréinfhear an Ceat so, 7 fá biodhbha bhiothfhoghlach ar
Ultaibh é feadh a ré. Lá n-aon dá ndeachaidh an Ceat so i nUltaibh
do dhéanamh díbhfeirge mar fá gnáth leis, go dtarla sneachta
mór fán am soin ann, 7 ag tilleadh dhó, 7 trí cinn laoch aige do
marbhadh leis san turus soin, tig Conall Cearnach ar a lorg, gur 5
chuir fá ghreim ag Áth Ceit é, gur chomhraigsead ré chéile, gur
thuit Ceat san chomhlann, 7 gur trom-ghonadh Conall, gur thuit
i néall ar an láthair iar dtréigean iomad fola dhó. Agus leis sin tig
Béalchú Bréifne, tréinfhear do Chonnachtaibh, go láthair an
chomhraig, mar a bhfuair Ceat marbh 7 Conall i gcrothaibh báis, 10
7 adubhairt gur mhaith an sgéal, an dá onchoin dá dtáinig aidh-
milleadh Éireann do bheith 'sna hainreachtaibh sin.

Is fíor sin, ar Conall, 7 i ndíol a ndearnaidh mise do dhochar do
Chonnachtaibh marbh-sa mé.

Is uime iomorra adubhairt sin, do bhrígh gomadh fearr lais ioná 15
flaitheas Éireann laoch éigin oile dá ghoin, ionnus nach biadh clú a
mharbhtha ar éan-laoch amháin do Chonnachtaibh.

Ní mhuirbhfead thú, ar Béalchú, óir is geall ré bheith marbh
dhuit an riocht 'na bhfuile. Gidh eadh, béaraidh mé leam thú,
7 cuirfead leigheas ort, 7 más téarnó ót othras duit, do-ghéan 20
comhrag aoinfhir riot, go ndíoghaltar liom ort gach dochar 7 gach
díoth dár himreadh leat ar Chonnachtaibh.

Agus leis sin cuiris iomchar faoi, 7 beiris leis dá theach féin é,
gur chuir leigheas air ann go beith dá chréachtaibh cneasuighthe.
Mar do mheas iomorra Béalchú eisean do bheith ag téarnó, 7 a 25
neart féin ag fás arís ann, do ghabh eagla ria gConall é, 7 ollmhuigh-
thear triúr laoch dá chloinn lé Béalchoin Bréifne ré marbhadh
Chonaill tré fheall san oidhche ar a leabaidh. Gidh eadh, fuair
Conall dóigh ar chogar na ceilge sin, 7 an oidhche do bhí a bhara
fán gcloinn teacht do dhéanamh na feille, adubhairt Conall ré 30
Béalchoin go gcaithfeadh malairt leaptha d'fhagháil uaidh, nó go
muirbhfeadh é. Agus leis sin luighis Béalchú, gér leasg lais é,

i leabaidh Chonaill, 7 do luigh Conall i leabaidh Bhéalchon, go
dtángadar an triúr laoch sin fá clann do Bhéalchoin d'ionnsaighe
35 na leaptha i mbíodh Conall, gur marbhadh a n-athair i riocht
Chonaill leó. Mar do mhothuigh iomorra Conall iad-san ar mar-
bhadh a n-athar 'na riocht féin, do ling orra, 7 marbhthar iad
a dtriúr lais, 7 dícheanntar leis iad mar aon réna n-athair, go rug
arna mhárach na cinn dá gcommaoidheamh go hEamhain.
40 Gonadh é marbhadh Cheit mheic Mághach 7 Bhéalchon Bréifne
gona thriúr mac go ró so.

5. BÁS CHON RAOI

Is é ní dá dtáinig bás Chon Raoi, coimhéirghe do-chuadar
curaidh na Craobh-ruaidhe d'argain oiléin mhara láimh ré hAlbain
dá ngairthear Manainn, mar a raibhe iomad óir 7 airgid 7 iol-
mhaoineadh 7 iomad do sheóidibh uaisle oile, 7 inghean álainn
5 aontumha do chinn ar mhnáibh a comhaimsire i gcruth 7 i sgéimh
ag tighearna an oiléin: Bláthnaid fá hainm dhi. Agus mar do-
chualaidh Cú Raoi na curaidh ag triall san turus soin, cuiris é féin
tré dhraoidheacht i mbréig-riocht, go ndeachaidh san chomhdháil.
Agus ar mbeith ar tí airgthe an oiléin dóibh i bhForbhais bhFear
10 bhFálgha, do mheasadar docamhal mór do bheith dhóibh i ngabháil
an dúin do bhí san oiléan, mar a raibhe Bláthnaid 7 seóide uaisle
an oiléin uile, ar dhaingne an dúin 7 ar iomad draoidheachta na
druinge do bhí 'gá chosnamh.
Is ann sin adubhairt Cú Raoi, do bhí i riocht fhir an bhruit
15 lachtna, dá bhfaghadh rogha seóid dá raibhe san dún, go ngéabhadh
féin an dún dóibh. Geallais Cú Chulainn sin dó, 7 leis sin tugadar
ucht ar an dún dá ghabháil, 7 fear an bhruit lachtna 'na dtosach,
gur fastódh an roth geintlidhe do bhí ar siubhal ar dhorus an
dúnaidh leis, gur léig cách isteach, gur hairgeadh an dún leó,
20 7 go dtugsad Bláthnaid 7 a raibhe do sheóidibh uaisle ann as.
Triallaid as sin i nÉirinn, go rochtain Eamhna dhóibh, 7 ar mbeith

ag roinn na séad dóibh, iarrais fear an bhruit lachtna rogha seóid,
amhail do gealladh dhó.

Do-ghéabhair, ar Cú Chulainn.

Más eadh, ar sé, is í Bláthnaid mo rogha dona seóidibh. 25

Do roghain dona seóidibh oile dhuit, ar Cú Chulainn, acht
Bláthnaid amháin.

Ní ghéabh a malairt, ar fear an bhruit lachtna.

Leis sin iarrais Cú Raoi árach ar Bhláthnaid d'fhuadach, go dtug
amus ós íseal uirre, go rug leis í i gcealltair dhraoidheachta. Mar 30
do mhothuigh Cú Chulainn easbaidh na hinghine air, do mheas
gurbh é Cú Raoi rug lais í, 7 leanais ar a lorg go réim-dhíreach
iad don Mhumhain, go rug orra ag Solchóid. Agus beirid na
tréinfhir ar a chéile, 7 do-níd gleic chalma churata, gur trasgradh
Cú Chulainn lé Coin Raoi, 7 go dtug ceangal na gcóig gcaol air, gur 35
fhágaibh 'na chimeach chuibhrighthe ann sin é, iar mbearradh a fhuilt
léna chloidheamh, 7 beiris féin Bláthnaid leis i n-iarthar Mhumhan,
iar bhfágbháil Con gCulainn ceangailte amhail adubhramar.

Tig iomorra leis sin Laogh mhac Rianghabhra, 7 sgaoilis do
Choin gCulainn, 7 triallaid as sin go tuaisgeart Uladh, gur áitigh- 40
eadar láimh ré Beannaibh Boirche ar feadh bliadhna gan teacht
i gcomhdháil fhear nUladh, nó gur fhás folt Chon gCulainn. Agus
i gcionn na bliadhna sin tarla Cú Chulainn ar Bheannaibh Boirche,
go bhfacaidh ealta mhór d'éanaibh dubha ag toidheacht adtuaidh
do dhruim na mara, 7 ar rochtain i dtír dhóibh leanais ar a lorg 45
iad, 7 marbhais as a chrann-tábhaill, leis an gcleas dá ngairthí
táithbhéim, éan is gach crích díobh, gur mharbh an duibh-éan
déidheanach díobh ag Srúibh Broin i n-iarthar Mhumhan. Agus
ag tilleadh aniar dhó, fuair Bláthnaid go huaigneach láimh ré Fionn-
ghlaise i gCiarraighe, mar a raibhe dún-phort comhnuighthe Chon 50
Raoi an tan soin, go dtarla comhagallmha eatorra araon an tráth
soin, gur nocht sise dhó nach raibhe ar druim dhomhain fear budh
annsa lé ioná é, 7 iarrais air, an tSamhain fá neasa dhóibh, teacht
líon sluagh dá breith féin ar áis nó ar éigean lais, 7 gomadh córaide
dhó sin do dhéanamh, go dtiocfadh dhi féin an tráth sin Cú Raoi 55

do bheith i n-uathadh sluagh 7 sochaidhe. Geallais Cú Chulainn dise
toidheacht san am soin dá hionnsaighe. Ceileabhrais leis sin iomorra
dhi, 7 triallais i nUltaibh, 7 nochtais an dáil do Chonchubhar.

Dála Bhláthnaide, adubhairt ré Coin Raoi gurbh oircheas dó
60 cathair do dhéanamh dhó féin, do bhéaradh barr ar ríoghphortaibh
Éireann uile, 7 gurab amhlaidh budh éidir sin do dhéanamh,
Clanna Deadhaidh do chur do chnuasach 7 do chruinniughadh
a rabhadar do liagaibh cloch 'na seasamh i nÉirinn, do dhéanamh
cathrach dhó féin. Agus fá hé fáth Bhláthnaide ris sin, go mbeidís
65 Clanna Deadhaidh fá chríochaibh imchiana Éireann i bhfad ó
Choin Raoi ré teacht Chon gCulainn dá breith féin lais.

Arna chlos sin iomorra do Choin gCulainn, go rabhadar Clanna
Deadhaidh arna sgannradh fá Éirinn mar sin, triallais ós íseal go
sluagh-bhuidhin leis, 7 ní haithristear a bheag dá sgéalaibh go
70 ráinig i ndoire choille do bhí láimh ré longphort Chon Raoi. Agus
ar mbeith ann sin dó, cuiris sgéala ós íseal go Bláthnaid, é féin do
bheith ann sin go sluagh 'na fhochair, 7 is é comhartha do chuir
sí chuige, go ngoidfeadh cloidheamh Chon Raoi, 7 leis sin go
ndoirtfeadh dabhach leamhnachta do bhí san lios ris an sruth do
75 bhí ag snighe ón bhaile trésan gcoill 'na raibhe Cú Chulainn. Iar
gclos an chomhartha dhó, ní cian do bhí, an tan do-chonnairc an
sruth bán ón bhainne, 7 leis sin tugadar amus ar an longphort,
7 do lingeadar an lios ar Choin Raoi, gur marbhadh leó é, ar mbeith
'na aonar gan arm dhó, go rugsad Bláthnaid i nUltaibh leó. Fionn-
80 ghlaise iomorra fá hainm don tsruth réamhráitte, ar mbeith fionn
ón bhainne dhó.

Téid file Chon Raoi, Feircheirtne a ainm, i ndiaidh Bhláthnaide
i nUltaibh, i ndóigh go bhfuighbheadh árach ar Bhláthnaid do
mharbhadh i ndíoghail Chon Raoi, 7 ar rochtain i nUltaibh dó,
85 fuair Conchubhar 7 Cú Chulainn 7 Bláthnaid go gcomhdháil iompa
ag rinn Chinn Bheara, 7 mar do-chonnairc an file Bláthnaid 'na
seasamh ar bruach aille ann, téid dá hionnsaighe 7 iadhais a lámha
uimpe, gur chuir é féin 7 í d'urchar ris an aill, gur marbhadh
amhlaidh sin iad.

6. AN IODH MORAINN

Is 'na reimheas do bhí Morann mhac Maoin dá ngairthí Cairbre Chinn Chait ann, .i. an ceirt-bhreitheamh agá raibhe an Iodh Morainn aige, 7 dobudh dá buadhaibh, gidh bé do chuirfeadh fána bhrághaid í ré linn bhreitheamhnais éigceirt do dhéanamh, go n-iadhadh an iodh go daingean timcheall a bhrághad, 7 go 5 mbíodh ag fásgadh ar a bhrághaid go mbeireadh an mbreith gcóir. Agus do-níodh mar an gcéadna ris an tí tigeadh do dhéanamh fiadhnaise bréige, go hadmháil na fírinne dhó. Gonadh ón iodh soin atá an seanfhocal, mar a n-orduigheann neach an Iodh Morainn do bheith fá bhrághaid an tí bhíos ag déanamh fiadhnaise, i ndóigh 10 go ndiongnadh fírinne.

7. BÓRAIMHE LAIGHEAN

Is é an Tuathal Teachtmhar so ar a bhfuilmíd ag tráchtadh do cheangail an Bhóraimhe ar Laighnibh mar cháin i ndíol bháis a dhá inghean .i. Fithir 7 Dáirine a n-anmanna. Rí iomorra do bhí ar Laighnibh darbh ainm Eochaidh Aincheann, 7 tug sé Dáirine inghean Tuathail Teachtmhair do mhnaoi, 7 rug leis 5 i Laighnibh dá longphort féin i Moigh Luadhat í. Agus i gcionn aimsire dá éis sin téid go Teamhraigh, 7 nochtais do Thuathal go bhfuair Dáirine bás, 7 iarrais an deirbhshiúr oile .i. Fithir air, go dtug Tuathal dó í, 7 beiris leis go Laighnibh dá longphort féin í. Agus mar do-chonnairc Fithir a deirbhshiúr Dáirine roimpe beó, 10 do ling a hanam go hobann aiste tré náire, 7 táinig Dáirine dá caoineadh, 7 fuair bás do láthair dá cumhaidh.

Mar do-chualaidh iomorra Tuathal bás na deise ban, do ghabh fearg mhór é, 7 do chuir teachta uaidh do gach leith go huaislibh Éireann, do chasaoid na feil-bheirte do-rinne rí Laighean air, 15 7 uime sin tugsad uaisle Éireann congnamh sluagh 7 sochaidhe do rígh Éireann, do Thuathal, ré díoghail an mhíghníomha sin.

Agus mar do bhreathnuigh Tuathal Laighin d'argain 7 do chreach-
adh, 7 gan iad ionchathuighthe ris, do fhaomhadar cáin do dhíol
20 uatha féin 7 óna sliocht 'na ndiaidh, i n-íoc bháis na mban soin,
do Thuathal 7 dá gach rígh dá dtiocfadh ar a lorg.

Ag so suim na cána do díoltaoi lé Laighnibh do ríoghaibh Éireann
gacha dara bliadhna i ndíol bháis chloinne Tuathail, mar atá trí
fichid céad bó, trí fichid céad uinge d'airgead, trí fichid céad brat,
25 trí fichid céad torc, trí fichid céad molt, 7 trí fichid céad coire umha.
Agus is í roinn do bhíodh ar an gcáin sin, a trian d'fhearaibh
Connacht, a trian d'Oirghiallaibh 7 a trian do Uíbh Néill.

Is don cháin se ghairthear Bóraimhe Laighean, 7 do bhí sí dhá
tabhach ré linn dá fhichead ríogh dár ghabh flaitheas Éireann,
30 mar atá ó aimsir Thuathail Teachtmhair go haimsir Fhíonnachta
do bheith i bhflaitheas Éireann.

8. CATH CRIONNA

Is é an Fearghus so táinig fá bhrághaid Chormaic mheic Airt
i bhflaitheas nÉireann iar n-ionnarbadh Chormaic lé hUltaibh
i gConnachtaibh, iar mbreith a ghiall, 7 iar ndéanamh na fleidhe
dhóibh do Chormac i dtuaisgeart Mhoighe Breagh, mar a dtug giolla
5 ríogh Uladh an choinneal fá fholt Chormaic, gur loisg go mór é.
Trí meic Fionnchadha .i. Fearghus Duibh-dhéadach, Fearghus Cais-
fhiaclach 7 Fearghus Foilt-leabhair do imir an t-anfhorlann so ar
Chormac, 7 téid Cormac d'iarraidh conganta ar Thadhg mhac Céin
do bhí neartmhar i nÉilibh an tan soin.

10 Is eadh adubhairt Tadhg ris, go dtiobhradh congnamh dhó dá
dtugadh fearann dó.

Do-bhéar dhuit, ar Cormac, a dtimcheallfaidh do charbad do
Mhoigh Breagh sa ló iar mbriseadh chatha ar na Fearghusaibh.

Más eadh, ar Tadhg, braithim-se dhuit gá bhfuighir an tréin-
15 mhíleadh Lughaidh Lágha, bráthair mo sheanathar, 7 dá dtugair
san chath é, is cosmhail go muirbhfidh sé na trí Fearghusa; 7 is
é áit 'na bhfuighir é i nEatharlaigh, láimh ré Sliabh gCrot.

Leis sin triallais Cormac go hEatharlaigh, mar a bhfuair Lughaidh
Lágha i bhfian-bhoith 'na luighe. Cuiris Cormac a gha trésan
bhfian-bhoith, 7 gonais Lughaidh 'na dhruim. 20

Cia ghonas mé? ar Lughaidh.

Mise, Cormac mhac Airt, ar sé.

Maith fuarais mise do ghoin, ar Lughaidh, óir is mé do mharbh
h'athair .i. Art Aoinfhear.

Éiric dhamh ann, ar Cormac. 25

Ceann ríogh i gcath dhuit, ar Lughaidh.

Más eadh, ar Cormac, tabhair ceann ríogh Uladh .i. Fearghusa
Duibh-dhéadaigh dhamh, atá ag cor im aghaidh fá fhlaitheas
nÉireann.

Do-ghéabhair sin, ar Lughaidh. 30

Leis sin triallaid go Tadhg mhac Céin i nÉilibh, 7 triallaid féin
7 Tadhg go líon a sluagh go Brugh Mheic an Óig i gCrionna Chinn
Chomair, mar ar commóradh cath Crionna idir Chormac 7 na trí
Fearghusa.

Do bhí fós fáth oile ag Tadhg fá dhol i gcoinne Uladh, do bhrígh 35
gurab é an Fearghus Duibh-dhéadach so do mharbh a athair i gcath
Samhna. Do commóradh cath Crionna eatorra. Gidh eadh, níor léig
Tadhg Cormac san chath, acht do fhágaibh ar chnoc ar chúlaibh an
chatha é, 7 giolla 'na fhochair ann. Tug iomorra Tadhg 7 Lughaidh
Lágha ucht ar na Fearghusaibh 7 ar a sluagh, gur thuit Fearghus 40
Foilt-leabhair lé Lughaidh Lágha, gur bhean a cheann de, 7 triallais
gusan dtulaigh 'na raibhe Cormac ris an gceann. Is é iomorra
do-rinne Cormac ré hucht cháich do dhul san chath, éadach Deileann
Drúith .i. a ghiolla do chur uime féin, 7 a éadach-san ar an ngiolla;
óir fá dearbh leis, an tan do fhásfadh lonn laoich Lughaidh, 7 do 45
ghéabhadh confadh catha é, nárbh iontaobhtha do neoch é. Dála
Lughaidh, tig ris an gceann do bhí aige do láthair an ghiolla do bhí
i riocht Chormaic, 7 fiafruighis de narbh é sin ceann Fearghusa
Duibh-dhéadaigh.

Ní hé, ar an giolla, acht ceann a bhráthar. 50

Leis sin téid Lughaidh fán gcath arís, 7 beanais a cheann d'Fhear-

ghus Chais-fhiaclach, 7 tug 'na láimh gusan dtulaigh 'na raibhe an
giolla i riocht Chormaic é.

An é so ceann ríogh Uladh? ar Lughaidh.

55 Ní hé, ar an giolla, acht ceann a bhráthar oile.

Teilgis Lughaidh an ceann ar an láthair, 7 téid an treas feacht
fán gcath, go dtug ceann Fearghusa Duibh-dhéadaigh leis, 7
fiafruighis an céadna don ghiolla. Do fhreagair an giolla 7 adubhairt
gurbh é ceann ríogh Uladh é. Leis sin tug Lughaidh urchar don
60 cheann don ghiolla, gur bhuail 'na bhrollach é, gur éag an giolla do
láthair, 7 téid Lughaidh féin i néall, iar dtréigean iomad fola dhó
tré líonmhaire a chréacht.

Dála Thaidhg mheic Céin, do chuir an briseadh ar shluagh Uladh,
ionnus go dtug seacht madhmanna orra san ló chéadna, ó Chrionna
65 go Glaise an Eara i dtaoibh Dhroma Ineasglainn. Téid Tadhg
iar sin 'na charbad, 7 trí créachta ó thrí sleaghaibh air, 7 adubhairt
réna ghiolla an carbad do dhíorghadh d'ionnsaighe na Teamhrach,
go dtugadh múr Teamhrach don leith istigh do thimcheall a charbaid
an lá soin. Triallaid go réim-dhíreach rompa, 7 Tadhg ag dol i néall
70 go meinic ó thréigeadh a fhola as a chréachtaibh, 7 ar rochtain láimh
ré hÁth Cliath dhóibh, do fhiafruigh Tadhg don ghiolla an dtugadar
Teamhair leó san turus soin, nó san timcheall soin.

Ní thugamair, ar an giolla.

Leis sin buailtear 7 marbhthar lé Tadhg é. Agus iar marbhadh
75 an ghiolla tig Cormac mhac Airt do láthair, 7 mar do-chonnairc na
trí créachta móra do bhí ar Thadhg, tug ar an liaigh do bhí 'na
fhochair dias eórna do chor i gcréacht do chneadhaibh Taidhg,
7 doirb bheó i gcréacht oile, 7 sgolb do rinn ghaoi san treas créacht,
7 cneasughadh tar goimh do dhéanamh orra, ionnus go raibhe
80 Tadhg feadh bliadhna dá bhíthin sin i seirglighe, go ndeachaidh
Lughaidh Lágha don Mhumhain ar ceann an táith-leagha.

Táinig an liaigh gona thrí daltadhaibh go gcualadar éagcaoine
Thaidhg ag toidheacht gusan dún dóibh. Fiafruighis an táith-
liaigh don chéad-dalta don triúr, ar gclos na céad-mhairge ó Thadhg,
85 créad fáth na mairge sin.

Cnead so, ar sé, do cholg, ar mbeith do cholg eórna 'na chréacht.

Ar gclos an dara mairg, fiafruighis don dara dalta créad é adhbhar na mairge.

Cnead do mhíol bheó so, ar an dara dalta, ar mbeith do dhoirb bheó san dara créacht. 90

Ar gclos na treas mairge don táith-liaigh, fiafruighis don treas dalta créad é adhbhar na cneide sin.

Cnead do rinn airm so, ar an treas dalta.

Agus ar rochtain don toigh iona raibhe Tadhg don táith-liaigh, is eadh do-rinne, colltar iarainn do chor san teallach, go ndearnaidh 95 caor dhearg dhe, 7 a thabhairt dá inneall ar bruinnibh Thaidhg. Mar do-chonnairc Tadhg an t-iarann dearg dá inneall ré a sháthadh 'na chorp, do ghabh criothnughadh croidhe é, ionnus go dtáinig don uathfás soin gur theilg go foiréigneach an dias, an doirb, 7 an sgolb do rinn ghaoi as a chréachtaibh. Agus leis sin do-ní an táith- 100 liaigh cneasughadh iomlán ar a chréachtaibh, gurbho slán Tadhg gan fhuireach dá éis sin.

9. AISLING MHÁTHAR CHORMAIC

Is iongnadh an aisling do-chonnairc an Éachtach úd .i. máthair Chormaic. Dar lé iomorra, ar mbeith 'na codladh mar aon ré hArt dí, do teasgadh a ceann dá colainn 7 do fhás bile mór as a muinéal, 7 do leathnuigh a ghéaga ós Éirinn uile, 7 táinig an mhuir ós cionn an bhile sin, gur trasgradh é, 7 dá éis sin fásais bile oile a préimh an 5 chéid-bhile, go dtáinig sidhe gaoithe aniar lér leagadh é. Agus lé faigsin na haislinge sin beadhgais an bhean, 7 musglais as a codladh, gur nocht suim na haislinge dh'Art.

Is fíor sin, ar Art. Ceann gacha mná a fear, 7 beanfaidhear mise dhíot-sa i gcath Mhoighe Mucraimhe. Agus is é bile fhásfas asad, 10 mac bhéaras tú dhamh-sa bhus rí ar Éirinn ; 7 is í muir bháidhfeas é, cnáimh éisg shloigfeas, 7 tachtfaidhear réna linn sin é. Agus is é bile fhásfas a préimh an chéid-bhile, mac bhéarthar dó sin bhus rí ar Éirinn ; 7 is é sidhe gaoithe aniar leagfas é, cath chuirfidhear idir

15 é 7 an Fhian, 7 tuitfidh sé leis an bhFéin san chath soin. Gidh eadh,
ní bhia rath ar an bhFéin ó shin amach.

   Agus táinig an aisling sin i gcrích do Chormac 7 dá mhac Cairbre,
óir ré linn chnáimh éisg do shlogadh dhó do thachtadar na siabhra é,
7 is leis an bhFéin do thuit Cairbre Lifeachair i gcath Gabhra.

10. EITHNE AGUS A HOIDE

Acht cheana is fíor gurbh í Eithne Ollamhdha inghean Dúnlaing
mheic Éanna Niadh máthair Chairbre Lifeachair, 7 is í doba dalta
do Bhuicead, brughaidh bóichéadach do bhí i Laighnibh, do
choimhéadadh coire féile ar teinidh ré biathadh gach aoin d'fhear-
5 aibh Éireann tigeadh dá thigh. Agus is amhlaidh do bhí an
Buicead so go n-iomad saidhbhreasa, óir do bhádar seacht n-airghe
aige, 7 seacht bhfichid bó in gach airghe dhíobh gona bhfurrthainn
groighe 7 gach cinéil spréidhe oile, ionnus go dtigdís uaisle Laighean
gona mbuidhnibh dá thoigh, go mbeireadh drong díobh sgaoi dá
10 bhuaibh uaidh, 7 dream oile aicme dá ghroigh, 7 drong oile sgor dá
eachaibh, go rugadar a mhaoin uile amhlaidh sin uaidh, ionnus nár
an aige acht seacht mba 7 tarbh. Agus téid i n-éalódh oidhche,
é féin 7 a bhean 7 a dhalta Eithne, ó Dhún Buicead go doire choille
do bhí láimh ré Ceanannas na Midhe, mar a ngnáthuigheadh
15 Cormac comhnaidhe an tan soin, 7 do thógaibh Buicead boith 'na
gcomhnuigheadh féin 7 a bhean 7 a dhalta an tan soin, 7 do bhíodh
Eithne ag friothólamh, nó ag timpireacht, dá hoide 7 dá buimigh
amhail bhanóglaigh.

   Lá n-aon iomorra dár éirigh Cormac amach 'na aonar ar each do
20 thaisteal an fhuinn timcheall an bhaile, go bhfacaidh an inghean
álainn Eithne ag bleoghain, nó ag crúdh, na seacht mbó sin Bhui-
cead. Agus is amhlaidh do bhí dá shoitheach aice, 7 do chrúdh
tosach an lachta ó gach boin san chéad-shoitheach, 7 an dara leath
san dara soitheach, 7 mar sin dí go crúdh na seacht mbó, 7 Cormac
25 agá féachain ar mhéad a gheana uirre. Tig as sin don bhoith iona
raibhe a hoide, 7 fágbhais an bainne ann, 7 beiris dá shoitheach oile

⁊ corn 'na láimh lé amach gusan sruth do bhí láimh ris an mboith, ⁊ do líon leis an gcorn an céad-shoitheach do bhí aice don uisge do bhí láimh ré port, ⁊ an dara soitheach don uisge do bhí i lár an tsrotha, ⁊ fillis ainnséin don bhoith. Téid amach an treas feacht 30 ⁊ carrán lé do bhuain luachra, ⁊ ar mbeith ag buain na luachra dhi, do chuireadh gach sgoith fhada úr-luachra dá mbeanadh ar leith, ⁊ an luachair ghearr don leith oile. Tarla cheana do Chormac ar mhéad a ghrádha dhí bheith dhá feitheamh ar feadh gach feadhma dhíobh sin, ⁊ fiafruighis Cormac dhí cia dá ndéineadh cinéal an 35 uisge an lachta ⁊ na luachra.

An tí ar a ndéinim, ar sí, dlighidh dhíom-sa cinéal budh mó, dá mbeith ar mo chumas.

Gá hainm é? ar Cormac.

Buicead Brughaidh, ar sí. 40

An é Buicead Biattach do Laighnibh, atá iomráitteach i nÉirinn? ar Cormac.

Is é, ar sí.

Más eadh, is tusa Eithne inghean Dúnlaing, a dhalta, ar Cormac.

Is mé, ar Eithne. 45

Maith tharla, ar Cormac, biaidh tú it aon-mhnaoi agam-sa.

Ní hagam féin atá mo dhíol, ar ise, acht agom oide.

Leis sin téid Cormac mar aon ria go Buicead, ⁊ geallais cumhaidh dhó tré Eithne d'fhaghail 'na mnaoi dhó féin. Aontuighis Buicead Eithne do dháil do Chormac 'na mnaoi, ⁊ tug Cormac Tuaith 50 Odhráin gona furrthainn spréidhe ré slios Teamhrach dhó feadh a ré.

11. FORBHAIS DROMA DÁMHAIRE

Tarla fán am soin teirce feóla ar Chormac mhac Airt, rí Éireann, ⁊ é ar gcaitheamh chíosa na gcóigeadh tré líonmhaire luchta a theaghlaigh, ⁊ cinnis comhairle réna aird-fheadhmannach, cionnus do-ghéabhadh ní lé riar a mhuirir go ham a chíosa do thógbháil. Agus is í comhairle thug an feadhmannach dhó, sluagh líonmhar do 5

thionól 7 triall don Mhumhain do thabhach rúrachais chíosa ríogh
Éireann. Óir ní díoltar leó, ar sé, acht cíos aon-chóigidh ribh-se,
7 atáid dá chóigeadh san Mumhain, 7 téid cíos cóigidh do rígh
Éireann as gach cóigeadh dhíobh.

10   Cinnis Cormac ar an gcomhairle sin, 7 cuiris teachta go Fiachaidh
Muilleathan, fá rí ar an Mumhain an tan sin, do thabhach cíosa an
dara cóigidh air. Freagrais Fiachaidh dona teachtaibh, 7 adubhairt.
nach díolfadh barr cíosa ré Cormac nachar díoladh ris na ríoghaibh
táinig roimhe. Agus mar ráinig an sgéal sin Cormac, cuiris tionól ar
15 shluagh líonmhar, 7 triallais leó, 7 ní dhearnaidh comhnaidhe go
ráinig Druim Dámhaire san Mumhain, áit dá ngairthear Cnoc
Luinge aniú, 7 suidhis i bhforbhais nó i bhfoslongphort ann, 7 tig
Fiachaidh Muilleathan, rí Mumhan, don leith oile ucht ré hucht dó.

Is amhlaidh do bhí Cormac an tráth soin 7 draoithe Albanacha
20 'na fhochair ann, 7 iad ag imirt draoidheachta ar rígh Mumhan
7 ar a mhuintir; 7 go háirithe níor fágbhadh aon-bhraon uisge
láimh ré longphort ríogh Mumhan, ionnus go rabhadar daoine
7 airnéis i nguais bháis d'easbaidh uisge, ionnus gurbh éigean do
rígh Mumhan fios do chor i ndáil Mhogha Ruith, draoi do bhí
25 i gCiarraighe Luachra.

Agus mar tháinig Mogh Ruith, fá héigean don rígh dá thriúcha
chéad Fhear Moighe (dá ngoirthear Críoch Róisteach 7 Críoch
Chondúnach) do thabhairt dó, 7 leis sin sgaoilis Mogh Ruith an glas
do bhí ar an uisge agá chongbháil ó shluagh ríogh Mumhan, maille
30 ré ga geintlidhe do bhí aige do theilgeadh san aieór suas, 7 san áit
ar thoirling an ga, do ling tobar fíor-uisge as, lér fóireadh fir Mhu-
mhan ón éigean tarta 'na rabhadar. Agus leis sin lingis rí Mumhan
gona shluagh ar Chormac 7 ar a mhuintir, gur ruagadar as an
Mumhain iad gan chath do thabhairt gan chreich do dhéanamh
35 dhóibh, 7 do bhádar ag tóraidheacht orra go hOsruighibh, gurbho
héigean do Chormac cuir 7 teannta do thabhairt uaidh ré bráighdibh
do chor uaidh ó Theamhraigh go Ráith Naoi ré ráittear Cnoc
Rathfann, go Fiachaidh Muilleathan, i ngioll ré cúitiughadh do
thabhairt in gach dochar dá ndearna san Mumhain don turus soin.

12. NA CEITHRE COMHAIRLEACHA

Is ré linn Chormaic do mhair Fítheal, 7 is é fá haird-bhreitheamh
dhó, 7 ar mbeith d'Fhítheal ré hucht mbáis d'fhagháil, do chuir fios
i gcoinne a mheic dá ngairthí Flaithrí, 7 dobudh duine glic foghlam-
tha an Flaithrí sin. Do fhágaibh Fítheal a bheannacht aige, 7 tug
do chomhairle dhó cheithre neithe do choimhéad go friochnamhach, 5
7 gomadh sochar dhó sin do dhéanamh, mar atá: gan mac ríogh
d'altram ná d'oileamhain, gan rún 'na mbeith guais do léigeadh réna
mhnaoi, gan mac moghaidh do mhéadughadh, gan a chiste nó
a stór do thabhairt i dtaisgidh dá shiair.

Agus i ndiaidh bháis Fhíthil do mheas Flaithrí fromhadh do 10
dhéanamh ar gach ní dhíobh sin, 7 mar dhearbhadh orra glacais mac
do Chormac mhac Airt ar daltachas, 7 i gcionn aimsire 'na dhiaidh
sin beiris an leanbh fá choill leis, 7 tug do mhuicidhe dá mhuintir
féin do bhí i ndiamhair choille é, 7 adubhairt ris an leanbh do cheilt
go maith, go gcuireadh féin comhartha cinnte chuige. Agus leis sin 15
tillis don bhaile dá thoigh féin, 7 léigis tuirse 7 dobrón mór air, 7
fiafruighis a bhean fáth a thuirse. Adubhairt-sean nach raibhe
a bheag. Gidh eadh, mar do-chonnairc sise an brón ar marthain
aige, do ghabh go liosta ag leadrán air, ag lorgaireacht adhbhair
a thuirse. Adubhairt dá ndéanadh rún air, go nochtfadh fáth 20
a bhróin di. Do mhionnuigh sise go gceilfeadh gach ní dá nochtfadh
seisean tré rún di.

Más eadh, ar sé, tarla dhamh-sa feil-bheart anabaigh do dhéanamh,
mar atá, mo dhalta, mac an ríogh, do mharbhadh.

Sgreadais an bhean arna chlos sin di, 7 gairmis muintear an 25
toighe, 7 adubhairt riú an fionghalach do cheangal tré mhac an ríogh
do mharbhadh, 7 do-níthear amhlaidh sin leó, 7 beirthear ceangailte
gusan rígh é.

Tarla fós do Fhlaithrí gur mhéaduigh mac reachtaire dá mhuintir
féin go raibhe 'na dhuine shaidhbhir. Tug mar an gcéadna go grod 30

i ndiaidh bháis a athar cuid dá ionnmhas i dtaisgidh dá shiair,
ionnus nach rachadh éin-ní dona ceithre neithibh adubhairt a athair
ris gan fhromhadh uaidh. Mar fuair iomorra mac an reachtaire fá
dhaoirse é, 7 an rí ar tí a bhásuighthe, ní raibhe duine dhíobh is
35 truime 7 is déine do bhí i n-aghaidh Fhlaithrí ioná mac an reachtaire,
i ndóigh go bhfuighbheadh féin oighreacht Fhlaithrí ré a ceannach
dhó féin.

Cuiris Flaithrí, ar mbeith san éigean soin dó, fios i ndáil a shea-
thrach, agá iarraidh uirre an mhéid ionnmhasa tug i dtaisgidh dhi
40 do chor chuige, go ndiongnadh caraid dó féin timcheall an ríogh.
Agus mar ráinig an teachtaire í, do shéan nachar ghlac féin a shamhail
sin uaidh riamh. Agus mar ráinig an sgéal soin Flaithrí, 7 é ré hucht
a bhásuighthe, iarrais a léigeadh do láthair an ríogh, go ndiongnadh
comhrádh rúin ris, 7 ar dteacht do láthair Chormaic dhó, do innis
45 go raibhe an mac slán, 7 adubhairt é féin do chongbháil san chui-
bhreach 'na raibhe go toidheacht dá dhalta do láthair. Cuirthear
fios ar ceann an mheic, 7 ar dtoidheacht do láthair don leanbh ón
muicidhe agá raibhe i gcoimhéad aige, mar do-chonnairc sé Flaithrí
cuibhrighthe, guilis nó gur sgaoileadh dhe. Agus ar mbeith do
50 Fhlaithrí sgaoilte, fiafruighis Cormac ós íseal de, créad as ar fhulaing
é féin do chor san ngábhadh soin.

Do fhromhadh na gceithre gcomhairleach tug mh'athair dhamh
do-rinneas é, ar Flaithrí, 7 fuaras arna ndearbhadh gurab críonna
na ceithre comhairleacha tug mh'athair dhamh. Ar dtús, ní críonna
55 do neach oileamhain mheic ríogh do ghabháil ar a iocht, d'eagla
faille do dhéanamh, dá dtiocfadh lot nó milleadh do dhéanamh don
dalta, 7 beatha nó bás an oide do-ghéanadh faill ar chumas an
ríogh. An dara ní, do réir nádúire ní bhí congbháil rúin ghuas-
achtaigh i mnaoi san bhioth go coitcheann, 7 uime sin ní críonna
60 a shamhail do rún do léigeadh ré. An treas comhairle tug mh'athair
dhamh, gan mac moghaidh nó dhuine uirísil do mhéadughadh, ná do
thógbháil go hinnmhe, do bhrígh gurab gnáthach leó bheith
dearmadach san chomaoin chuirthear orra, 7 fós gurab olc leó fios
na dearóile 7 na huirísle ór fhásadar do bheith ag an druing mhéadui-

gheas iad. Is maith, ar sé, an ceathramhadh comhairle tug [65]
mh'athair dhamh, gan mo stór do thabhairt dom shiair; óir is eadh
is dáil dona mnáibh, éadáil do dhéanamh do gach ionnmhas dá
dtugaid a gcaraid i dtaisgidh dhóibh.

13. BÁS CHORMAIC AGUS A ADHNACAL

Do bhí d'fheabhas ghníomh, bhreath [7] reachta Chormaic go
dtug Dia solas an chreidimh dhó seacht mbliadhna ré mbás, [7] is
uime sin do dhiúlt adhradh do láimh-dhéibh, [7] do ghabh ré ais
cádhas [7] onóir do thabhairt don fhír-Dhia. Ionnus gurab é an
treas fear do chreid i nÉirinn é, sul táinig Pádraig, mar atá Con- [5]
chubhar mhac Neasa, iarna chlos dó ó Bhacrach Draoi Críost do
bheith arna chéasadh; Morann mhac Maoin an dara fear, [7] Cormac
an treas duine.

Lá dá raibhe Cormac i dTigh Cleitigh, do bhádar na draoithe
'na fhiadhnaise ag adhradh an laoigh órdha, [7] cách dá adhradh ar [10]
lorg na ndruadh. Do fhiafruigh Maoilgheann Draoi do Chormac
créad as nach adhradh an laogh órdha [7] na dée mar chách.

Ní dhéan, ar Cormac, adhradh don cheap do-róine mo cheard
féin, [7] dob fhearr an duine do-rinne é d'adhradh, óir is uaisle é
ioná an ceap.   [15]

Greasais Maoilgheann Draoi an laogh órdha, gur ling 'na
bhfiadhnaise uile.

An bhfaice súd, a Chormaic? ar Maoilgheann.

Cia do-chím, ar Cormac, ní dhingean adhradh acht do Dhia
nimhe [7] talmhan [7] ifrinn.   [20]

Do bearbhadh a chuid don rígh iar sin, [7] ro ghabh ag ithe míre
do bhradán ón mBóinn. Leis sin tángadar na siabhra iarna
ngreasacht do Mhaoilgheann, [7] marbhthar an rí leó. Fuireann
oile adeir gur cnáimh bradáin do lean dá bhrághaid [7] do thacht
é, óir is ag ithe éisg do bhí an uair do thachtsad na siabhra é. Iar [25]
dteacht d'airdheanaibh báis i ndáil an ríogh, adubhairt réna aos

gráidh gan a chorp d'adhnacal san Bhrugh, mar a rabhadar ríogh-
raidh Theamhrach roimhe sin.

Ar mbeith do chách ag breith a chuirp dá adhnacal don mBrugh,
30 cuirid na siabhra i n-abhainn go dtuile mhóir trí huaire rompa é;
óir níorbh áil leo a chorp do léigeadh i reilig íodhal tré chreideamh
don fhír-Dhia dhó. Agus an ceathramhadh feacht rugadar a lucht
iomchair san abhainn é, 7 beirthear uatha an corp ré sruth na
Bóinne, go ráinig Ros na Ríogh, 7 sgarthar an corp ris an bhfuad,
35 nó ris an gcróchar, gonadh de sin atá Áth Fuaid ar Bóinn. Do
caoineadh ann sin é, 7 do-rinneadh a uaigh 7 do hadhnaiceadh ag
Ros na Ríogh é.

14. CÉRBH IAD NA DRAOITHE?

Ó THARLA dhúinn labhairt ar na draoithibh ann so, measaim
gurab oircheas dúinn labhairt ar chuid dá ndálaibh, 7 go háirithe ar a
n-iodhbartaibh 7 ar a ngeasaibh, mar bhus follus ionar ndiaidh.

Atáid iomorra ré a bhfaigsin i nÉirinn aniú i n-áitibh iomdha,
5 ó aimsir na págántachta, 'na séad-chomharthaidhibh, iomad do
leacaibh roi-leathna, 7 galláin chloch agá n-iomchar, 7 is díobh
ghairmthear sna sein-leabhraibh altóire iúdhlaidhe, 7 Leapthacha
na Féine ghairmid an pobal coitcheann díobh, do bhrígh nach feas
dóibh créad fár horduigheadh iad. Is ar na haltóiribh se do
10 cleachtaoi anall-ód leis na draoithibh a n-iodhbarta do dhéanamh,
maille ré marbhadh a dtarbh, a mbocán, 7 a reitheadh, 7 na
draoithe féin do thoidheacht ar a nglúinibh fá shileadh fhola na
hiodhbarta, dá nglanadh féin ó shalchar a gcean, amhail do-níodh
an t-ard-shagart i measg an chinidh Iúdaidhe, an tan do théigheadh
15 fá dhroichead na hiodhbarta do léigeadh fhola na hiodhbarta do
rioth air féin, gonadh de sin do gairthí *pontifex* .i. droicheadóir dhe.

Dála na ndruadh, is é feidhm do-nídís do sheithidhibh na dtarbh
n-iodhbarta, a gcoimhéad ré hucht bheith ag déanamh *coniuration*,
nó ag cor na ndeamhan fá gheasaibh, 7 is iomdha céim ar a gcuirdís
20 geasa orra, mar atá silleadh ar a sgáile féin i n-uisge, nó ré hamharc

ar néallaibh nimhe, nó ré foghar gaoithe nó glór éan do chlos. Gidh eadh, an tan do cheileadh gach áisig dhíobh sin orra, is eadh do-nídís, cruinn-chliatha caorthainn do dhéanamh 7 seithidhe na dtarbh n-iodhbartha do leathadh orra, 7 an taobh do bhíodh ris an bhfeóil do chor i n-uachtar dhíobh, 7 dol mar sin i muinighin 25 a ngeas do thoghairm na ndeamhan, do bhuain sgéal díobh, amhail do-ní an togharmach san chiorcaill aniú. Gonadh de sin do lean an seanfhocal ó shoin, adeir go dtéid neach ar a chliathaibh fis, an tan do-ní dícheall ar sgéalaibh d'fhagháil.

15. NA TRÍ CHOLLA

Ar mbeith thrá d'Fhiachaidh 'na rígh Éireann tarla mac maith aige darbh ainm Muireadhach Tíreach, 7 is é fá tuairgneach catha 'gá athair, óir ní léigthí an rí féin i gcath. Téid Muireadhach aimsir dh'áirithe go sluaghaibh leis don Mhumhain, 7 tug géill 7 airgne leis. Tarla Fiachaidh Sraibhtine i nDubh Comair láimh 5 ré Tailltean andeas, 7 sluagh aige ann. Sluagh oile ag triar mac a dhearbhráthar .i. na trí Cholla, 7 iad ag congnamh lé Fiachaidh Sraibhtine. Mar do-chualadar áitheas d'éirghe do Mhuireadhach san Mumhain, adeireadh gach aon i gcoitchinne gurab é adhbhar ríogh Éireann é. 10

Créad do-ghéanam, ar na Colla, dá raibhe Muireadhach d'éis Fhiachaidh 'na rígh Éireann? Is eadh is maith dhúinn do dhéanamh, ar siad, cath do thabhairt don tsein-rígh, 7 an tan mhuirbhfeam é féin gona shluagh, ainnséin rachaidh ar a mhac againn an tan thiocfas. 15

Is amhlaidh do bhí Fiachaidh an tráth soin 7 draoi 'na fhochair darbh ainm Dubh Comair, 7 is eadh adubhairt:—

A rí, ar sé, dá ndeachaidh agat ar na Collaibh, 7 a marbhadh, ní bhia rí dot chloinn tar h'éis ar Éirinn go bráth. Agus madh iad-san bhéaras buaidh, 7 mhuirbhfeas tú, ní bhia rí ar Éirinn dá 20 gcloinn go bráth.

Más eadh, ar an rí, is fearr liom-sa mé féin do thuitim ris na

Collaibh, 7 an ríoghdhacht do rochtain dom shliocht im dhiaidh, ioná mise do mharbhadh na gColla, 7 ríoghdhacht Éireann do 25 rochtain dá shliocht dia n-éis.

Agus leis sin cuirid an sluagh inneall catha orra féin, 7 lingid ar a chéile do gach leith, 7 bristear d'Fhiachaidh Sraibhtine 7 marbhthar san chath sin é, amhail do thairngir Dubh Comair dhó.

Dála na gColla, ionnarbthar lé Muireadhach i nAlbain iad, 30 7 trí chéad líon a sluagh, 7 tug rí Alban cion mór 7 buannacht dóibh ar a gcródhacht féin, 7 do bhádar trí bliadhna ann. Triallaid as sin go hÉirinn .i. Colla Meann, Colla Uais, 7 Colla dhá Chríoch, i ndóigh go ndiongnadh Muireadhach Tíreach fionghail orra, 7 go dtiocfadh dhe sin flaitheas Éireann do rochtain a gcloinne do 35 bhíthin na fionghaile sin. Agus ní thugadar do bhuidhin leó ó Albain acht naonbhar laoch leis gach n-aon díobh ; 7 ní dhearnadar fos ná comhnaidhe go rochtain Teamhrach dhóibh do láthair an ríogh Mhuireadhaigh.

An bhfuilid sgeóil agaibh-se, a bhráithre ? ar an rí.

40   Ní fhuilid sgeóil againn budh truaighe dhuit-se ioná an gníomh do-rinneamair féin, mar atá h'athair-se do mharbhadh linn.

Atá an sgéal soin againn féin, ar Muireadhach, 7 is cuma dhaoibh-se ; óir ní dígheóltar oraibh é, acht an míorath tarla dhaoibh, ní sgarfaidh ribh.

45   Is oirbhire dhroch-laoich sin, ar na Colla.

Ná bíodh doilgheas oraibh-se ; atá fáilte romhaibh, ar sé.

Tugadar seal fada mar sin i gcairdeas mhór, 7 is iad na Colla fá tuairgnigh catha ag an rígh.

Adubhairt an rí riú gur mhithidh dhóibh fearann do dhéanamh 50 dá shliocht.

Cia an tír 'nar maith leat-sa sinn do dhéanamh fearainn cloidhimh ? ar siad. (Ní rabhadar óig dob urramhanta ioná iad iona n-aimsir féin i nÉirinn.)

Éirgidh ar Ultaibh, ar sé, óir atá fíor gcatha agaibh chuca, do 55 bhrígh gur loisg giolla ríogh Uladh féasóg, nó folt, Chormaic mheic Airt lé coinnil i Moigh Breagh.

(Ar mbeith iomorra do Chormac 'na rígh Éireann, táinig neart
Uladh go mór 'na aghaidh, gur hionnarbadh leó i gConnachtaibh é,
iar mbreith a ghiall, 7 dá éis sin do cheangladar síoth ré Cormac,
7 ollmhuighthear fleadh mhór dó i dtuaisgeart Mhoighe Breagh, 60
7 is ann do loisgeadh folt Chormaic lé giolla ríogh Uladh.)—Agus
atá sin gan díoghail fós.

Leis sin tug an rí Muireadhach sluagh líonmhar dhóibh. Triallaid
na Colla as sin i gCóigeadh Chonnacht, 7 gabhaid fir Chonnacht ar
daltachas buannachta iad. Triallaid iar sin fir Chonnacht leó, 65
líon seacht gcath, go Carn Achaidh Leithdeirg i bhFearnmhoigh,
7 fearaid seacht gcatha ón chnoc soin ar Ultaibh .i. cath gach
aon-lá go ceann seachtmhaine, sé catha dhíobh ó Chonnachtaibh
7 an seachtmhadh cath óna Collaibh, mar ar marbhadh Fearghus
Fogha, rí Eamhna, 7 mar ar briseadh d'Ultaibh, go raibhe ruaig 70
orra ó Charn Achaidh go Gleann Righe. Agus iar dtabhairt áir
mhóir orra, fillid na Colla d'ionnsaighidh na hEamhna, gur hairgeadh
7 gur loisgeadh leó í, ionnus go bhfuil ó shin gan rígh dá háit-
iughadh.

16. AODHÁN AGUS BRANDUBH

Rug bean Ghabhráin inghean 7 bean Eochaidh dias mac. Ní
bheireadh iomorra bean Ghabhráin do shíor acht clann inghean,
7 mar tharla dias mac ag mnaoi Eochaidh, iarrais bean Ghabhráin
mac don dís mac ar mhnaoi Eochaidh, 7 aontuighis bean Eochaidh
sin. Mar do mhothuigheadar lucht an teaghlaigh do bhí san 5
bhforaire na mná iar mbreith chloinne, fiafruighid don ríoghain
créad an ghein rug. Nochtais sise go rug mac 7 inghean, 7 go rug
bean Eochaidh mac. Fá lúthgháireach cách de sin, 7 an mac
ráinig an ríoghan ó mhnaoi Eochaidh, do baisteadh é, 7 tugadh
Aodhán mhac Gabhráin d'ainm air. Do baisteadh an dara mac 10
d'Eochaidh, 7 tugadh Brandubh mhac Eochaidh dh'ainm air,
7 dá éis sin táinig Eochaidh 7 a mhac leis i nÉirinn gur ghabh
ríghe Laighean dó féin.

Treimhse fhada iomorra dá éis sin fuair Gabhrán, taoiseach
15 Dhál Riada fá rí Alban, bás, 7 gabhais Aodhán flaitheas Alban
dá éis, 7 táinig d'ionnradh 7 d'argain Éireann 7 d'iarraidh a
gabhála, ar mbeith do shliocht Chairbre Riogh-fhoda dhó féin.
Tigid fuireann mhór d'fhearaibh Sagsan, Alban 7 Breatan leis,
7 ar rochtain i dtír i nÉirinn dóibh, tug ucht ar Laighnibh do lot
20 ar dtús. Tarla iomorra Brandubh mhac Eochaidh an tan soin
i ríghe Laighean, 7 cuiris Aodhán teachta chuige d'iarraidh giall
air, ré bheith fá chíos-cháin dó féin, nó go ndiongnadh críoch
Laighean uile d'argain. Ar mbeith do Bhrandubh imshníomhach
fán dáil sin, adubhairt a mháthair ris meisneach do bheith aige,
25 7 go gcoisgfeadh féin Aodhán de.

Leis sin téid an mháthair go foslongphort Aodháin, 7 ar rochtain
ann sin di, fiafruighis d'Aodhán créad as a dtáinig do lot Laighean.

A chailleach, ar sé, ní dleaghair dhíom sgéala do thabhairt duit-se
air sin.

30 Mása chailleach mé, ar sí, is cailleach do mháthair-se, 7 atá
comhrádh cogair agam ré a dhéanamh riot.

Leis sin téid i bhfód fá leith ria.

A Aodháin, ar sí, do innis mé dhuit gur chailleach do mháthair,
7 innisim dhuit anois gurab mé féin í, 7 dá réir sin gurab dear-
35 bhráthair dhuit Brandubh. Uime sin cuir fios i nAlbain ar an
máthair atá id leith, 7 aidmheóchaidh sí im láthair-se gurab mé
féin do mháthair. Agus go rochtain a chéile dhúinn, gabh iomad
gan milleadh Laighean do dhéanamh.

Do-níthear leis a ndubhairt an bhean, 7 ar rochtain do láthair
40 a chéile dona mnáibh admhuighis ríoghan na hAlban gurab í
máthair Bhranduibh rug Aodhán, 7 arna chlos sin dó, do cheangail
ar na mnáibh rún maith do dhéanamh ar an gcúis, d'eagla go
gcaillfeadh féin ríoghdhacht Alban ag Dál Riada dá mbeith fios
na dála aca. Leis sin cuiris fios i ndáil Bhranduibh gur cheangladar
45 araon cairdeas ré chéile, 7 fágbhais Aodhán an tír gan díoth do
dhéanamh innte.

17. NA HUGHDAIR PHÁGÁNTA

Ré linn iomorra na págántachta do bheith i nÉirinn, ní bhíodh cion ollamhan ná ughdair san seanchas ar aoin-neach ré seanchas ar a bhfionntaoi claonadh seanchasa do dhéanamh aoin-fheacht amháin. Ní bhíodh fós cion breitheamhan ar an tí do bheireadh claoin-bhreath. Do bhíodh mar an gcéadna geasa ar dhruing 5 dhíobh ré linn na págántachta.

Ar dtús, an tan do bheireadh Sean mhac Áighe claoin-bhreath, do fhásadaois boilg-léasa ar a dheas-ghruaidh, 7 an tan do bheireadh an fhír-bhreath ní fhásadaois. Ní rug Connla Caoin-bhriathrach bréig-bhreath riamh, óir dobudh duine iodhan fír-ionnraic é, do 10 réir sholais na nádúire. Ní bheireadh Seancha mhac Cúil Chlaoin breath choidhche gan trosgadh an oidhche réna breith. An tan do bheireadh Fachtna a mhac-san bréig-bhreath, madh i n-aimsir an fhoghmhair do bheireadh í, do thuiteadh meas na tíre i mbíodh an oidhche sin, gidh eadh, an tan do bheireadh an fhír-bhreath, 15 do anadh an toradh go hiomlán ar na crannaibh. Nó madh i n-aimsir an bhlátha do bheireadh an bhréig-bhreath, do shéandaois na ba a laoigh san tír sin. Ní bheireadh Morann mhac Maoin breath gan an Iodh Morainn um a bhrághaid, 7 an tan do bheireadh an fhír-bhreath, do shíneadh an iodh tar a ghuaillibh amach, 7 an 20 tan do bheireadh bréig-bhreath, do theannadh an iodh um a bhrághaid, amhail adubhramair thuas. Mar sin do mhórán d'ughdaraibh págánta oile, do bhídís geasa orra dhá dtoirmeasg ó chlaonadh seanchasa nó breitheamhnais do dhéanamh.

18. PÁDRAIG AGUS MAC AN RÍOGH

Anghus inghean Tasaigh, rí Ó Liatháin, bean Laoghaire, máthair Lughaidh mheic Laoghaire, 7 ni hionann 7 Laoghaire do ghabh sí creideamh ó Phádraig. Lá n-aon iomorra dá dtáinig Pádraig d'fhios na bainríoghna fáiltighis roimhe 7 riana choimhthionól cléire, 7 cuiris biadh dá ollmhughadh dhóibh, 7 do ghabh Lughaidh 5

mhac Laoghaire, a mac oighreachta, ag ithe an bhídh go hairceasach,
go dtarla greim 'na bhrághaid lér tachtadh é, go bhfuair bás do
láthair. Beadhgais an bhainríoghan, 7 cuiris an mac ar choimirce
Phádraig. Téid Pádraig i n-áras uaigneach, 7 tug fá-deara corp
10 an leinbh do bhreith 'na fhochair, 7 do ghéaruigh féin ar a ghuidhe
go Dia, 7 anais san ghnáth-ghuidhe sin gan bhiadh gan chodladh
feadh thrí lá, go dtáinig i gcionn an treas lá Míchéal Archaingeal
i gcruth cholaim 'na láthair san áras 'na raibhe, 7 beannachais do
Phádraig, 7 adubhairt gur thoil ré Dia an leanbh d'aithbheóadh
15 ar impidhe Phádraig. Leis sin, ar mbeith don leanbh 7 a dhruim
faoi 7 a bhéal oslaigthe, téid an t-archaingeal, do bhí i gcruth
cholaim, 7 cuiris a ghob i mbrághaid an leinbh, 7 do tharraing an
greim eiste, go dtáinig anam do láthair leis sin ann. Agus do
láthair leis sin do-chuaidh an t-aingeal ar ceal uatha, 7 do éirigh an
20 leanbh Lughaidh. Agus mar do-chualaidh an bhainríoghan an
leanbh do bheith beó, tig go lúthgháireach d'fhios Phádraig,
7 sléachtais ar a glúinibh 'na fhiadhnaise, 7 gabhais ag breith
bhuidheachais ris tré aithbheódhadh a meic.

A bhanfhlaith, ar sé, ní riom-sa is beirthe dhuit buidheachas do
25 mheic, acht ré Míchéal Archaingeal lér haithbheódhadh do mhac.
Agus nochtais dí éirim an sgeóil amhail adubhramair.

19. GUAIRE AGUS DIARMAID

An seachtmhadh bliadhain do fhlaitheas Diarmada ríogh
Éireann táinig cailleach dhubh, darbh ainm Sineach Chró, do
chasaoid ar Ghuaire mhac Colmáin ré Diarmaid, tré bhreith na
haon-bhó do bhí aice uaithe. Do thionóil Diarmaid sluagh líonmhar
5 ré dol do bhuain díolaidheachta i mboin na caillighe do Ghuaire,
7 triallais go Sionainn don chur soin. Do bhí iomorra tionól sluagh
7 sochaidhe ag Guaire ar a chionn don leith oile, 7 do chuir Guaire
Cuimín Foda mhac Fiachna 'gá iarraidh ar Dhiarmaid gan dol go
ceann cheithre n-uaire fichead tar Sionainn siar.

Ní mór an athchuinghe dhuit-se sin d'fhagháil, ar Diarmaid, 10
7 do-ghéabhthá ní budh mó dámadh é do iarrfá.

Do bhádar thrá leath ar leath don tSionáinn, an rí Diarmaid don
leith thoir 7 Guaire don leith thiar go maidin arna mhárach.

Is iongnadh liom, ar Cuimín, loighead an tsluaigh se atá agat,
7 méad an tsluaigh atá it aghaidh. 15

Tuig, a chléirigh, ar Diarmaid, nach iomad curadh chuireas cath,
acht mar is toil ré Dia, 7 más dímheas atá agat ar ar sluaigh-ne,
tuig nach iad na crotha caomha acht na croidheadha cruaidhe
chuireas cath.

Do commóradh an comhrag eatorra, an rí gona shluagh do 20
thaoibh 7 Guaire go neart gConnacht 7 Mhumhan don leith oile.
Gidh eadh, do briseadh do Ghuaire 7 dá shluagh, gur marbhadh
mórán do mhaithibh Connacht 7 d'fhearaibh Mumhan ann. Agus
is do ghuidhe Cháimín naomhtha do bheannuigh i nInis Cealtrach
táinig buaidh gcatha do bhreith ar Ghuaire. Óir do throisg Cáimín 25
trí thráth air, fá dhiombuaidh gcatha do bheith ar Ghuaire. An
naomh so Cáimín is do shliocht Fhiachaidh Aiceadha meic Cathaoir
Mhóir é.

Táinig thrá Guaire go Cáimín, 7 tug umhla 7 óighréir dhó, 7 do
shléacht 'na láthair. 30

Ní fhuil breith air gan diombuaidh gcatha do bheith ort, do
ráidh Cáimín.

Iar gcur iomorra an chatha ar Ghuaire, táinig 'na aonar go
mainistir bhig i raibhe éin-bhean amháin riaghalta, 7 do fhiafruigh
an bhean de cia hé féin. 35

Fear gráidh do Ghuaire mé, ar sé.

Is truagh linn, ar ise, maidhm do bheith ar an rígh sin is mó déirc 7
daonnacht dá bhfuil i nÉirinn, 7 dearg-ár a mhuintire do thabhairt.

Téid an bhean riaghalta gusan sruth do bhí láimh ria, 7 at-chí
bradán ann. Tillis go Guaire ris na sgéalaibh sin. Téid Guaire 40
amach gusan sruth, 7 marbhais an bradán, 7 rug buidheachas ré
Dia bheith taoibh ris an mbradán an oidhche sin, 7 a mhionca do
bhádar deich mairt oidhche oile aige.

Téid Guaire arna mhárach i ndáil a mhuintire, 7 do-ní comhairle
45 riú an dtiobhradh cath oile don rígh, nó an ngiallfadh do rinn
ghaoi dhó. Is air do chinn Guaire 7 a mhuintear, dol go Diarmaid
7 gialladh dhó. Gidh eadh, is é modh ar ar ghiall dó, rinn ghaoi nó
chloidhimh an ríogh do chor 'na bhéal idir a fhiaclaibh, 7 é faon
ar a ghlúinibh. Agus ar mbeith do Ghuaire mar sin, adubhairt an
50 rí ré lucht dá mhuintir féin ós íseal:—

Fionnfam, ar sé, anois, an tré ghlóir dhíomhaoin do-ní Guaire
an t-eineach mór úd.

Tug ar dhraoi dhá mhuintir ní d'iarraidh air a los ealadhan,
7 ní thug Guaire aire dhó. Cuiris lobhar d'iarraidh déirce air ar
55 son Dé. Tug an dealg óir do bhí 'na bhrat don bhocht, óir ní
raibhe ionnmhas oile aige. Téid an bocht uaidh, 7 tarla duine
do mhuintir an ríogh Dhiarmada ris, 7 beanais an dealg óir dhe,
7 do-bheir do Dhiarmaid é. Tig an bocht arís dá chasaoid sin ré
Guaire, 7 tug Guaire an crios óir do bhí thairis dó, 7 beanaid
60 muintear Dhiarmada an crios don bhocht. Agus tig arís go Guaire,
7 rinn chloidhimh Dhiarmada idir a fhiaclaibh, 7 mar do-chon-
nairc Guaire an bocht go tuirseach, do thuit sruth déar
uaidh.

A Ghuaire, ar an rí, an ar a thruaighe leat fám chumhachtaibh-se
65 ataoi ag caoi mar sin?

Do-bheirim briathar nach eadh, ar sé, acht ar a thruaighe liom
bocht Dé gan ní.

Is ann sin adubhairt Diarmaid ris éirghe, 7 nach biadh ó shin
amach fána smacht féin, 7 go raibhe Rí na n-uile dhúl ós a chionn,
70 dá ngiallfadh, 7 gur leór ris sin uaidh. Ceanglaid síoth eatorra féin,
7 adubhairt Diarmaid ris teacht go hAonach Tailltean i bhfiadhnaise
fhear nÉireann, —Agus do-bhéar féin mo thighearnas féin óm lá
féin amach dhuit, ar sé.

Téid Guaire iar sin go hAonach Tailltean, 7 miach nó mála airgid
75 réna chois, i gcoinne a bhronnta d'fhearaibh Éireann. Tug iaramh
Diarmaid ar fhearaibh Éireann gan aon díobh d'iarraidh aoin-neith
ar Ghuaire san aonach. Dá lá dhó amhlaidh sin. An treas lá

iomorra adubhairt Guaire ré Diarmaid fios do chor ar easbog chuige,
go ndearnadh a fhaoisidin 7 a ongadh.

Créad sin? ar Diarmaid.   80

Bás atá im ghar, ar Guaire.

Cionnus thuigeas tú sin? ar Diarmaid.

Tuigim, ar Guaire, fir Éireann ar aon-láthair, 7 gan neach
dhíobh ag iarraidh neith oram.

Tug Diarmaid ann sin cead bronntais do Ghuaire. Gabhais 85
Guaire ag bronntas do gach aon-duine an tan sin, 7 más fíor, dobudh
faide an lámh lé ndáileadh ní dona bochtaibh ioná an lámh lé
ndáileadh ní don éigse. Do-rinne Diarmaid síoth 7 síothcháin
ré Guaire an tráth soin do láthair fhear nÉireann, 7 do bhádar
muinteardha dá chéile ó shin amach.   90

20. BÓTHAR NA MIAS

Tarla go raibhe duine naomhtha cráibhtheach do dhearbhráthair
ag Guaire, darbh ainm Mo Chua, 7 aimsir dá ndeachaidh do
dhéanamh an Chorghais go tobar fíor-uisge atá láimh ré Buirinn
siar budh dheas, chúig mhíle ó Dhurlas Guaire, 7 gan 'na fhochair
acht aon-mhaiccléireach amháin do bhíodh ag friothóladh an 5
aifrinn dó, 7 ní chaitheadh féin ná an maiccléireach san ló
n-oidhche acht aon-phroinn, 7 ní caittí ann sin leó acht beagán
aráin eórna 7 biorar 7 fíor-uisge, 7 iar dteacht Laoi Cásg, 7 iar
rádh aifrinn do Mo Chua, do ghabh mian feóla an maiccléireach,
7 adubhairt ris an naomh Mo Chua go rachadh go Durlas d'fhios 10
Ghuaire, d'fhagháil a shásuighthe feóla.

Ná déin, ar Mo Chua. An agam-sa go nguidhinn Dia d'iarraidh
feóla dhuit,—7 leis sin léigis a ghlúine ré lár 7 do ghéaruigh ar a
ghuidhe go Dia, ag iarraidh feóla don mhaiccléireach. An aoin-
fheacht soin, 7 biadh dá fhreastal go bordaibh tighe Guaire, 15
7 táinig do ghuidhe Mo Chua gur sgiobadh na miasa 7 an fheóil
do bhí orra a lámhaibh an luchta do bhí agá bhfreastal, 7 trialltar

leó tar sleasaibh an mhúir amach, go ndearnadar go réim-dhíreach
gusan bhfásach 'na raibhe Mo Chua, 7 téid Guaire, líon a theagh-
20 laigh, ar marcaigheacht i dtóraidheacht na mias, 7 mar rángadar
na miasa do láthair Mo Chua, do ghabh ag moladh 7 ag móradh
anma Dé, 7 adubhairt ris an maiccléireach a shásadh don fheóil
d'ithe. Leis sin tug an cléireach súil seacha, 7 at-chí an machaire
lán do mharc-shluagh, 7 adubhairt nár shochar dó féin an fheóil
25 d'fhagháil, 7 méad na tóire do bhí 'na diaidh.

Ní heagail duit, ar Mo Chua; mo dhearbhráthair gona theaghlach
atá ann, 7 guidhim-se Dia gan neach dhíobh do léigeadh thairis
súd go beith sáthach dhuit-se.

Agus leis sin leanaid buinn na n-each don talamh, go nach
30 raibhe neart dóibh triall thairis sin go beith sáthach don mhaic-
cléireach.

Is ann sin do ghuidh Mo Chua Dia, 'gá iarraidh air sgaoileadh
dá dhearbhráthair 7 dá mhuintir. Sgaoiltear leis sin díobh, 7 tigid
do láthair Mo Chua. Léigis Guaire ar a ghlúinibh é féin do láthair
35 an naoimh Mo Chua, 7 iarrais maithmheachas air.

Ní heagail duit, a dhearbhráthair. Gidh eadh, ittear an biadh
libh ann so.

Agus iar gcaitheamh a bproinne do Ghuaire 7 dá mhuintir
ceileabhraid do Mo Chua, 7 tillid go Durlas tar a n-ais. Is dear-
40 bhadh ar fhírinne an sgeóil se gurab Bóthar na Mias ghairthear
dona chúig mhílibh do shlighe atá ó Dhurlas gusan dtobar 'gá
raibhe Mo Chua an tan soin.

21. NA TRÍ MIANA

TARLA Guaire mhac Colmáin, fá fear comhaimsire don Diarmaid
se, 7 Cuimín Foda mhac Fiachraidh, 7 Cáimín Inse Cealtrach,
i dteampall mhór na hInse, 7 do cuireadh trí ceásta eatorra.

Ar dtús adubhairt Cáimín, Créad, a Ghuaire, ar sé, an ní budh
5 maith leat agat?

Ór 7 ionnmhas ré a bhronnadh, ar Guaire. Agus tusa, a Chuimín,
ar Guaire, créad an ní budh mian leat?

Iomad leabhar ré friotal na fírinne don phobal, ar Cuimín.
Agus a Cháimín, ar Cuimín, créad do mhian-sa?

Iomad galar ar mo chorp, ar Cáimín.

Agus fuaradar a dtriúr a miana, acht i ndeireadh a ré gur
heasgaineadh Cuimín lé Mo Chuda, 7 gur bhean gach rath dhe,
más fíor.

22. MO CHUA AGUS A THRÍ SEÓIDE

Fá lucht comhaimsire dá chéile Mo Chua 7 Colam Cille, 7 ar
mbeith i ndithreibh an fhásaigh do Mo Chua, nó Mac Duach,
ní raibhe do spréidh shaoghalta aige acht coileach 7 luchóg 7 cuil.
Is é feidhm do-níodh an coileach dhó, iairmhéirghe an mheadhóin
oidhche do choimhéad. An luchóg iomorra, ní léigeadh dhó acht 5
chúig uaire do chodladh san ló gó n-oidhche, 7 an tan do thogradh
ní sa mhó do chodladh do dhéanamh, ar mbeith túirseach dhó
ó iomad crois-fhigheal 7 sléachtan, do ghabhadh an luchóg ag
slíobadh a chluas, go ndúsgadh amhlaidh sin é. An chuil cheana,
is é feidhm do-níodh, bheith ag siubhal ar gach líne dá léaghadh 10
'na shaltair, 7 an tan do-níodh sgíoth ó bheith ag cantain a shalm,
do chomhnuigheadh an chuil ar an líne do fhágbhadh go tilleadh
arís do rádh a shalm dhó.

Tarla go grod dá éis sin go bhfuaradar na trí seóide sin bás,
7 sgríobhais Mo Chua leitir dá éis sin go Colam Cille ar mbeith i ní 15
i nAlbain dó, 7 do-ní casaoid ar éag na healtan soin.

Sgríobhais Colam Cille chuige, 7 is eadh adubhairt:—

A bhráthair, ar sé, ní cuirthe dhuit i n-iongantas éag na healtan
do-chuaidh uait, óir ní bhí an tubaist acht mar a mbí an spréidh.

Measaim ar an súgradh so na bhfíor-naomh nach raibhe suim 20
aca sna sealbhaibh saoghalta, ní hionann 7 mórán do lucht na
haimsire se.

23. MÓR-DHÁIL DROMA CEAT

Is lé hAodh mhac Ainmireach do commóradh Mór-dháil Droma
Ceat, mar a raibhe comhdháil uaisle 7 eagailse Éireann, 7 is trí
hadhbhair phrinsiopálta do bhí ag Aodh ré cruinniughadh na
comhdhála soin. An céad-adhbhar dhíobh, do dhíbirt na bhfileadh a
5 hÉirinn ar a méad do mhuirear, 7 ar a dheacracht a riar. Óir do
bhíodh tríochad i mbuidhin an ollaimh, 7 chúig fhir dhéag i mbuidhin
an ánroth .i. an té fá goire céim san bhfilidheacht don ollamh, 7 do
bhádar fán am soin beag nach trian bhfear nÉireann ré filidheacht,
7 do bhídís ó Shamhain go Bealltaine ar coinnmheadh ar fhearaibh
10 Éireann. Arna mheas d'Aodh mhac Ainmireach gur throm an
t-ualach d'Éirinn iad, do chuir roimhe a ndíbirt as an ríoghdhacht
uile. Adhbhar oile fós do bhí ag Aodh ré díbirt na bhfileadh, mar
do-chuadar d'iarraidh deilg óir do bhí i mbrat Aodha, 7 is é iarraidh
an deilg go hainmianach do ghríosuigh Aodh réna n-athchor,
15 gur hionnarbadh go Dál Riada Uladh iad. Óir fá dealg é thrá
do fhágbhadh gach rí mar shéad-chomhartha ag gach rígh tigeadh
'na dhiaidh.

An dara hadhbhar fár commóradh Mór-dháil Droma Ceat, do
dhíochor Sgannláin Mhóir mheic Cinn Fhaolaidh a flaitheas
20 Osraighe, tré gan bhuin-chíos d'íoc ré hAodh, 7 ar tí a mheic,
Iollainn mheic Sgannláin, do ríoghadh ar Osraighibh, tré bheith
umhal san mbuin-chíos d'Aodh.

An treas adhbhar fár commóradh Mór-dháil Droma Ceat, i
ndóigh go gcuirfeadh Aodh buin-chíos ar Dhál Riada i nAlbain,
25 7 gan do chíos orra roimhe sin acht éirghe shluaigh ar muir 7 ar
tír, 7 íoc éarca lé rígh Éireann.

An tan fá clos do Cholam Chille i nAlbain cruinniughadh na
comhdhála soin 7 na trí hadhbhair fár tionóileadh í, mar atá
aithríoghadh Sgannláin, díbirt na bhfileadh, 7 cor buin-chíosa ar
30 Dhál Riada, do thriall féin a hÍ go hÉirinn, mar aon ré coimhthionól

naoimh-chléire, 7 is é líon cléire do bhí 'na fhochair ag teacht fá
thuairim na comhdhála soin, dá fhichid sagart, fiche easbog, caoga
deochan 7 tríochad maiccléireach.

Do féadfaidhe go mbiadh díchreideamh ag an léaghthóir ar an ní
churthar síos ann so, mar atá go mbeidís easbuig i gcoimhdeacht 35
abbadh; gidh eadh, dá léaghthar an ceathramhadh caibidil don
chúigeadh leabhar do Stair na Sagsan, do sgríobh *Beda*, mar a
labhrann ar phríbhiléid oiléin Í i nAlbain, is follus go mbídís
easbuig na hAlban umhal d'abbaidh Í anall-ód.

Fá gnáth, ar sé, leis an oiléan so do shíor uachtarán do bheith 40
air do bhiadh 'na abbaidh 7 'na shagart, agá mbiadh an chríoch
uile fána smacht 7 fána dhlighe, 7 fós fá dlightheach dona heas-
bogaibh féin, gér nós neamhghnáthach é, bheith umhal dó, do
réir shompla an chéad-doctúra do bhí ar an oiléan, nach raibhe 'na
easbog, acht 'na shagart 7 'na mhanach.   45

Agus is follus gurab é Colam Cille an céad-doctúir se fuair an
phríbhiléid ar dtús i nÍ, amhail adeir *Beda* san deachmhadh caibidil
don chúigeadh leabhar don Stair chéadna.

Fá hé Colam, ar sé, céad-doctúir an chreidimh Chatoileaca dona
Pictibh san aird tuaidh ar na sléibhtibh, 7 an céad-duine do 50
thógaibh mainistir i n-oiléan Í, do bhí cádhasach cian d'aimsir ag
iomad do phoibleachaibh na Scot 7 na bPict.

As na briathraibh se *Beda* is iontuigthe gurab é Colam Cille
céad-doctúir do-chuaidh do shíoladh an chreidimh dona Pictibh
i dtuaisgeart Alban, 7 gurab uime sin, ní headh amháin do gha- 55
bhadar na sagairt 7 na manaigh orra féin bheith umhal do Cholam
Chille, 7 d'abbaidh Í dá éis, acht fós do ghabhadar na heasbuig
orra féin é, do bhrígh gurab é Colam Cille tug solas an chreidimh
ar dtús dóibh, 7 is uime sin tángadar easbuig i gcoimhdeacht
Cholaim i nÉirinn go Mór-dháil Droma Ceat.   60

Is amhlaidh tháinig Colam Cille i nÉirinn, 7 bréid ciartha tarsna
ar a shúilibh, go nach faicfeadh úir Éireann. Óir do bhí d'fhiachaibh
air gan úir Éireann d'fhaigsin ón tráth do chuir Mo Laise do
bhreith aithrighe air dol i nAlbain 7 gan fonn na hÉireann

65 d'fhaigsin go bás, ionnus go dtáinig dhe sin gur chongaibh an
bréid ciartha ar a shúilibh an seal do bhí i nÉirinn gan tilleadh i
nAlbain dó.

Is é adhbhar iomorra fá rug Mo Laise do bhreith ar Cholam
Chille dol i nAlbain, mar tháinig do Cholam Chille trí catha do
70 chor i nÉirinn, mar atá cath Cúile Dreimhne, cath Cúile Rathan,
7 cath Cúile Feadha.

Is é adhbhar catha Cúile Dreimhne do réir an tsein-leabhair dá
ngairthear Uidhir Chiaráin: Feis Teamhrach do-rinne Diarmaid
mhac Fearghusa Ceirrbheóil, rí Éireann, 7 do marbhadh duine
75 uasal ar an bhfeis sin lé Cuarnán mhac Aodha mheic Eochaidh
Tiormcharna. Uime sin do mharbh Diarmaid an Cuarnán so, tré
mar do mharbh seisean an duine uasal ar an bhfeis i n-aghaidh
dhlighidh 7 tearmainn na feise. Agus sul do marbhadh Cuarnán
do-chuaidh ar choimirce dhá mhac Mheic Earca, .i. Fearghus 7
80 Domhnall, 7 cuirid sin ar choimirce Cholaim Chille é, 7 tar choimirce
Cholaim marbhthar lé Diarmaid é tré choill reachta na Teamhrach.
Agus táinig dhe sin gur thionóil Colam Cille Clanna Néill an
tuaisgirt, tréna choimirce féin 7 tré choimirce chloinne Mheic
Earca do shárughadh, gur chuirsead cath Cúile Dreimhne ar
85 Dhiarmaid 7 ar Chonnachtaibh, 7 gur briseadh dhíobh tré ghuidhe
Cholaim Chille.

Cuiridh Leabhar Dubh Mo Laga adhbhar oile síos fá dtugadh
cath Cúile Dreimhne, mar atá trésan gclaoin-bhreith rug Diarmaid
i n-aghaidh Cholaim Chille, an tan ro sgríobh an soisgéal a leabhar
90 Fhionntain gan fhios, 7 adubhairt Fionntan gur leis féin an maic-
leabhar do sgríobhadh as a leabhar féin. Uime sin do thoghadar
leath ar leath Diarmaid 'na bhreitheamh eatorra, 7 is í breath rug
Diarmaid, gurab leis gach boin a boinín, 7 gurab leis gach leabhar
a mhaic-leabhar. Gonadh é sin an dara hadhbhar fá dtugadh cath
95 Cúile Dreimhne.

Is é adhbhar fá dtug Colam Cille fá-deara cath Cúile Rathan do
thabhairt ar Dhál nAraidhe 7 ar Ultachaibh, do thoisg an imreasain
tarla idir Cholam Chille 7 Chomhghall, mar do thaisbéanadar Dál

nAraidhe 7 Ultaigh iad féin leattromach i n-aghaidh Cholaim
Chille san imreasan.   100

Is é adhbhar fá dtug Colam Cille fá-deara cath Cúile Feadha
do thabhairt ar Cholmán mhac Diarmada, i ndíol a sháruighthe fá
Bhaodán mhac Ninneadha, rí Éireann, do marbhadh lé Cuimín
mhac Colmáin ag Léim an Eich tar choimirce Cholaim.

Triallais iomorra Colam gona naoimh-chléir a hAlbain amhail 105
adubhramair, go hÉirinn, 7 an tan do bhí ag teacht i ngar na
comhdhála, adubhairt an ríoghan, bean Aodha, réna mac Conall,
gan cádhas do thabhairt don choirr-chléireach ná dhá bhuidhin,
7 ar bhfagháil sgéal air sin do Cholam, sul ráinig an láthair is eadh
adubhairt:—   110

Is cead liom-sa an ríoghan gona hinnilt do bheith i riocht dá chorr
i gcionn an átha so thíos go dtí an bráth.

Agus is uime do orduigh an innilt do bheith 'na coirr mar aon
ris an ríoghain, do bhrígh gurab í tháinig i dteachtaireacht ón
ríoghain go Conall, agá rádh ris gan cádhas do thabhairt don 115
choirr-chléireach. Agus do-chluinim óna lán do dhaoinibh go
bhfaicthear dá chorr do ghnáth ar an áth atá láimh ré Druim Ceat
ó shin i le.

Dála Cholaim Chille, ar rochtain na comhdhála dhó, is é oireacht
Chonaill mhic Aodha mhic Ainmireach ba neasa dhó don chomh- 120
dháil, 7 mar do-chonnairc Conall na cléirigh greasais daosgar-
shluagh an oireachta fúthaibh, trí naonbhair a líon, gur ghabhadar
do chaobaibh criadh orra, gur brúdh 7 gur breódh na cléirigh leó.
Agus fiafruighis Colam cia do bhí agá mbualadh amhlaidh sin.
Do-chualaidh Colam gurab é Conall mhac Aodha do bhí agá 125
ngreasacht ré déanamh an mhíghníomha soin, 7 cuiris Colam
fá-deara trí naoi gceóláin do bhuain an tráth soin ar Chonall, gur
heasgaineadh lé Colam é, 7 gur bhean ríghe 7 aireachas, ciall 7
cuimhne, 7 a inntleacht de, 7 óna clogaibh sin do bhuain air
ghairthear Conall Clogach dhe.   130

Do-chuaidh Colam iar sin go hoireachtas Domhnaill mheic
Aodha, 7 do éirigh Domhnall 'na coinne, 7 do fhear fáilte roimhe,

7 tug póg dá ghruaidh, 7 do chuir 'na ionadh féin 'na shuidhe é.
Tug Colam a bheannacht do Dhomhnall mhac Aodha, 7 iarrais ar
135 Dhia ríoghdhacht Éireann dá rochtain. Agus ráinig fá dheireadh,
go raibhe trí bliadhna déag i bhflaitheas Éireann sul fuair bás.
Triallais Colam as sin go hoireachtas an ríogh, 7 Domhnall 'na
fhochair. Do ghabh eagla mhór an rí roimhe trésan ní do-rinne ré
Conall, ris an ríoghain, 7 réna hinnilt, amhail adubhramair, 7 ar
140 rochtain do Cholam do láthair an ríogh, fáiltighis roimhe.
Dobudh í m'fháilte, ar Colam, mo riar.
Do-ghéabhair sin, ar an rí.
Más eadh, ar Colam, is é riar iarraim, trí hitghe iarraim ort,
mar atá fastódh na bhfileadh ataoi do thafann a hÉirinn, 7 sgaoil-
145 eadh do Sgannlán Mhór mhac Cinn Fhaolaidh, do rígh Osraighe,
as an mbroid 'na bhfuil agat, 7 gan dol do chor bhuin-chíosa ar
Dhál Riada i nAlbain.
Ní toil liom, ar an rí, fastódh na bhfileadh ar mhéad a n-ain-
bhreath, 7 ar a líonmhaire atáid. Óir bíd tríochad i mbuidhin an
150 ollamhan, 7 a cúʼg déag i mbuidhin an ánroth, 7 mar sin dona
grádhaibh fileadh oile ó sin síos.
Do bhíodh buidhean ar leith ag gach aon díobh do réir a chéime
féin, ionnus go raibhe trian bhfear nÉireann ré filidheacht, beag nach.
Adubhairt Colam ris an rígh gomadh cóir mórán dona fileadhaibh
155 do chor ar gcúl ar a líonmhaire do bhádar ann. Gidh eadh, adu-
bhairt ris file do bheith iona ard-ollamh aige féin ar aithris na
ríogh roimhe, 7 ollamh do bheith ag gach rígh cóigidh, 7 fós ollamh
do bheith ag gach tighearna triúcha chéad nó tuaithe i nÉirinn,
7 do cinneadh ar an gcomhairle sin lé Colam, 7 aontuighis Aodh é.
160 Táinig don ordughadh so do-rinne Aodh mhac Ainmireach 7
Colam Cille, go mbíodh ollamh cinnte ag rígh nÉireann 7 ag gach
rígh cóigeadhach 7 ag gach tighearna triúcha chéad, 7 fearann saor
ag gach ollamh dhíobh óna thighearna féin, 7 fós saoirse choit-
cheann 7 tearmann ó fhearaibh Éireann ag pearsain, ag fearann,
165 7 ag maoin shaoghalta gach ollamhan díobh. Do orduigheadar
fós fearann coitcheann dona hollamhnaibh go cinnte, 'na mbiadh

múnadh coitcheann aca amhail *universitie,* mar atá Ráith Cheannaid
7 Masraighe Mhoighe Sléacht san mBréifne, mar a mbíodh múnadh
na n-ealadhan i n-aisgidh aca d'fhearaibh Éireann, gach aon do
thogradh bheith foghlamtha i seanchas, nó sna healadhnaibh oile 170
do bhíodh ar gnáthughadh i nÉirinn an tan soin.

An dara hathchuinghe do iarr Colam ar Aodh, sgaoileadh do
Sgannlán Mhór, rí Osraighe, 7 a léigeadh dá chrích féin, do éimidh
Aodh sin.

Ní leanabh thairis sin ort, ar Colam, 7 mása thoil ré Dia é, go 175
raibhe ag buain mh'iall-chrann, nó mo bhróg, dhíom-sa anocht san
iairmhéirghe mar a mbiad.

An treas athchuinghe iarraim ort, ar Colam Cille, cairde do
thabhairt do Dhál Riada, gan dol dá n-argain go hAlbain do
thabhach bhuin-chíosa orra, óir ní dlightheach d'fhagháil uatha 180
acht aird-chíos 7 éirghe shluagh ar muir 7 ar tír.

Ní thiubhar cairde dhóibh gan dol dá n-ionnsaighe, ar Aodh.

Más eadh, ar Colam, biaidh cairde go bráth uait. Agus fá
fíor sin.

Leis sin ceileabhrais Colam Cille gona chléir don rígh 7 don 185
chomhdháil, 7 adeir Leabhar Ghlinne dhá Loch go raibhe Aodhán
mhac Gabhráin mheic Domhanghairt, rí Alban, san chomhdháil
se, 7 gur cheileabhair i n-aoin-fheacht ré Colam Cille don rígh 7 don
chomhdháil. Adeir an leabhar céadna go raibhe an chomhdháil se
'na suidhe bliadhain 7 mí, ag ordughadh reachta 7 dlighidh, chánach 190
7 chairdeasa, idir fhearaibh Éireann.

Dála Cholaim Chille, iar gceileabhradh don chomhdháil triallais
go Duibh-eaglais i nInis Eóghain, 7 ar dtoidheacht na hoidhche
dá éis sin, táinig lasair dheallruightheach theineadh san gcomhdháil
ar an bhforaire do bhí ag coimhéad an chraoi 'na raibhe Sgannlán 195
Mór i mbroid ag Aodh, 7 dá shlabhra dhéag iarnaidhe do chui-
bhreach air, go dtugadar an fhoraire uile a ngnúise ré lár ar
mhéad an lonnraidh do-chonncadar. Agus táinig dlúimh dheall-
ruightheach sholasta go Sgannlán san áit chéadna 'na raibhe,
7 adubhairt an guth san dlúimh ris:— 200

Éirigh, a Sgannláin, 7 fágaibh do shlabhradha 7 do chró 7 tarra amach, 7 tabhair do lámh im láimh-se.

Tig Sgannlán amach iar sin, 7 an t-aingeal roimhe. Do mhothuighsead an lucht coimhéatta é, 7 fiafruighid cia do bhí ann.

205 Sgannlán, ar an t-aingeal.

Dámadh é, ní inneósadh, ar iad-san.

Gluaisis Sgannlán 7 an t-aingeal i ndiaidh Cholaim Chille iar sin, 7 an tráth do bhí Colam ag an iairmhéirghe ag dol tar chrann saingeal siar, is é Sgannlán do bhí ag buain a bhróg dhe, 7 do 210 fhiafruigh Colam Cille dhe, cia do bhí ann, 7 do innis seisean gurbh é féin Sgannlán. An tan do fhiafruigh Colam sgéala dhe, Deoch! adeireadh seisean, ar mhéad a tharta. Óir feóil shaillte do-bheirdís dó san chró, 7 gan digh ria. Agus ar a mhionca dobheireadh sin do fhreagra ar Cholam Chille do fhágaibh righneas 215 labhartha ar gach rígh dá shliocht dá mbiadh i nOsraighe. Thairis sin tug Colam Cille fá-deara ar Bhaoithín trí deocha do thabhairt do Sgannlán. Ann sin nochtais Sgannlán a sgéal do Cholam amhail adubhramair thuas.

Adubhairt Colam Cille ré Sgannlán triall i nOsraighibh.

220 Ní fhéadaim, ar Sgannlán, d'eagla Aodha.

Ní heagail duit, ar Colam. Beir mo bhachall féin mar choimirce leat, 7 fágaibh agom choimhthionól i nDurmhaigh i nOsraighibh í.

Leis sin triallais Sgannlán i nOsraighibh, 7 do ghabh ceannas a chríche féin réna ré. Óir níor léig eagla Cholaim Chille d'Aodh 225 buaidhreadh do dhéanamh air ó sin amach.

24. MAR FUAIR COLAM CILLE A AINM

An Colam Cille atámaid do luadh ann so, is é fá hainm baistidh dhó, Criomhthann. Is uime thrá do lean Colam Cille dh'ainm air, an tan do bhí 'na leanbh agá mhúnadh i nDubh-ghlaise i dTír Lughdhach i gCinéal Chonaill, do léigthí lá gacha seachtmhaine fán 5 mbaile amach é, do reabhradh i measg a lochta comhaoise, mar shaor-dháil, ar mbeith don fhuil ríoghdha dhó, 7 mar do chleachtadh

dol amach lá san seachtmhain mar sin, do thionóildís leinbh an
cheanntair 'na choinne an lá do chleachtadh éirghe amach. Agus
ar mbeith ar aon-láthair dhóibh ag feitheamh ris, an tan at-chídís
ag triall ón mainistir chuca é, do thógbhadaois a lámha tré lúthgháir 10
agá rádh d'aon-gháir, Ag súd Colam na Cille chugainn! Agus mar
do-chualaidh oide foghlama Cholaim go gcleachtaoi leis na lean-
bhaibh Colam Cille do ghairm dhe, do mheas gur thoil ré Dia an
t-ainm sin tarla i mbéal na leanbh neamhurchóideach do ghairm do
shíor dhe, 7 an t-ainm baistidh, mar atá Criomhthann, do thabhairt 15
i ndearmad. Agus is meinic tarla a shamhail sin do mhalairt ar
anmannaibh na naomh.

25. CATH BEALAIGH MUGHNA

Is fán am so do ghabh Cormac mhac Cuileannáin ríoghdhacht
Mhumhan seacht mbliadhna, 7 fá maith rath nÉireann ré linn
Cormaic do bheith i bhflaitheas Mumhan. Óir do líonadh Éire do
rath dhiadha 7 do shonas shaoghalta 7 do shíothcháin choitchinn
réna linn, ionnus nach bíodh buachaill ag boin ná aoghaire ag tréad 5
'na reimheas, 7 do bhíodh anacal ag reilgibh ré a linn, 7 do-rónadh
iomad teampall 7 mainistreach 7 sgol gcoitcheann ré múnadh
léighinn, breitheamhnais, 7 seanchasa ré a linn. Agus gach maith
do fhoráileadh ar chách do dhéanamh, do ghníomhuigheadh féin
rompa í, idir dhéirc 7 dhaonnacht, urnuighthe, aifreann 7 gach 10
deigh-ghníomh oile ó shin amach. Agus fós do bhí do rath air, an
mhéid Lochlannach do bhí i nÉirinn ré foghail do dhéanamh, gur
thréigeadar an chríoch an feadh do bhí seisean i bhflaitheas Mumhan.

Iar gcaitheamh iomorra seacht mbliadhan do Chormac mhac
Cuileannáin i bhflaitheas Mumhan go síodhach sona, amhail 15
adubhramair, gríostar lé cuid d'uaislibh na Mumhan é, 7 go háirithe
lé Flaithbheartach mhac Ionmhainéin, abb Inse Cathaigh, do bhí
don fhuil ríoghdha, d'agra aird-chíosa ar chóigeadh Laighean, ar
mbeith do Leith Mogha dhi. Leis sin cuiris Cormac cruinniughadh
7 coimhthionól ar shluaghaibh Mumhan go haon-láthair, 7 ar 20

rochtain i n-aon-ionadh dá n-uaislibh is í comhairle ar ar cinneadh
leó, dol do thabhach aird-chíosa ar Laighnibh i gceart na ronna do-
rinneadh idir Mhogh Nuadhat 7 Conn. Gidh eadh, fá leasg lé
Cormac triall ar an eachtra sin, do bhrígh gur foillsigheadh dhó
25 go dtuitfeadh san turus soin. Thairis sin aontuighis dol ann, 7
ré hucht n-imtheachta dhó, do fhágaibh leagáide ar a anmain
ag eagailsibh prinsiopálta Éireann.

Dála Chormaic, ré hucht triallta i Laighnibh dhó, do chuir fios ar
Lorcán mhac Lachtna, rí Dhál gCais, 7 ar rochtain go rígh-theach
30 Caisil dó, fáiltighis Cormac roimhe 7 nochtais d'uaislibh Shíl
nEóghain, do bhí 'na fhochair, gurab do Lorcán fá dual flaitheas
Mumhan do ghabháil dá éis féin, do réir udhachta Oilealla Óluim,
lér horduigheadh flaitheas Mumhan do bheith gach ré nglún ag
sliocht Fhiachaidh Mhuilleathain 7 ag sliocht Chormaic Cais.
35 Gidh eadh, níor comhailleadh toil Chormaic san ní se.

Iomthúsa Chormaic iomorra, iar dtionól mhór-shluagh bhfear
Mumhan dó féin 7 do Fhlaithbheartach mhac Ionmhainéin, triallaid
i Laighnibh d'iarraidh bráighde nó cíosa orra do dhíol ré rígh
Mumhan, ar mbeith do Leith Mogha dhóibh. Ar mbeith do shluagh
40 Mumhan i n-aon-longphort ré triall san turus soin dóibh, do-chuaidh
Flaithbheartach mhac Ionmhainéin, abb Inse Cathaigh, ar each ar
fud sráide an longphuirt, 7 do thuit an t-each i gclais domhain faoi,
7 ba droch-fháistine dhó-san sin. Táinig dhe sin sochaidhe dá
mhuintir 7 don tsluagh uile dh'anmhain ón turus sin. Óir dobudh
45 droch-thuar leó tuitim an duine naomhtha ré ndol ar eachtra
dhóibh.

Tángadar thrá teachta uaisle ó Laighnibh 7 ó Chearbhall mhac
Mhuireigéin d'ionnsaighidh Chormaic ar dtús, 7 tagraid teachtai-
reacht shíodha ris ó Laighnibh .i. aoin-shíoth amháin do bheith
50 i nÉirinn uile go Bealltaine ar a gcionn (óir coidhcís d'fhoghmhar
an tan soin), 7 bráighde do thabhairt i láimh Mhaonaigh, abbadh
Dhísirt Diarmada .i. duine naomhtha eagnaidhe cráibhtheach an
fear soin, 7 iomad séad 7 maitheasa do thabhairt do Chormac 7 do
Fhlaithbheartach ó Laighnibh i gcomaoin na síothchána soin.

Dobudh lán-toil lé Cormac an tsíothcháin do dhéanamh, 7 táinig dá 55
fhoillsiughadh do Fhlaithbheartach go dtángadar teachta ó rígh
Laighean chuige d'iarraidh síodha go Bealltaine ar a gcionn, 7 do
thairgsin séad 7 maoineadh dhóibh araon ó Laighnibh tré thilleadh
don Mhumhain tar a n-ais go síodhach. An tan at-chualaidh
Flaithbheartach sin, gabhais fearg adhbhal-mhór é, 7 is eadh ro 60
ráidh:—

Is urusa a aithne ar mhaoithe do mheanman dearóile th'intinne.

Agus tug iomad táir 7 tarcaisne ar Chormac an tráth soin. Is
é freagra tug Cormac air-sean:—

Is deimhin liom-sa, ar Cormac, an ní thiocfas de sin .i. cath do 65
thabhairt do Laighnibh, 7 muirbhfidhear mise ann, 7 is cosmhail
do bhás-sa do thoidheacht de.

Agus an tan adubhairt Cormac na briathra so, táinig dá phuball
féin, 7 é tuirseach dobrónach, 7 an tan do shuidh, tugadh soitheach
ubhall chuige, 7 gabhais agá roinn ar a mhuintir, 7 is eadh ro 70
ráidh:—

A mhuintear ionmhain, ar sé, ní roinnfead-sa ubhla oraibh ón
uair se amach go bráth.

Ó a thighearna ionmhain, ar a mhuintear, tugais oirne bheith
dobrónach tuirseach, 7 fá meinic leat droch-fháistine do dhéanamh 75
dhuit féin.

Créad sin, a mhuintear chroidhe? ar Cormac. Óir is beag an
t-iongnadh, gion go dtugainn-se ubhla as mo láimh féin daoibh, go
mbiadh neach éigin oile im fharradh do shínfeadh ubhla dhaoibh.

Iar sin do iarr Cormac foraire do chor 'na thimcheall, 7 do iarr 80
an duine cráibhtheach Maonach .i. comharba Comhghaill, do
thabhairt chuige, go ndearnadh a fhaoisidin 7 a thiomna 'na
láthair, 7 do chaith Corp Críost iona fhiadhnaise, 7 do dhiúlt sé don
tsaoghal do láthair Mhaonaigh. Óir dobudh dearbh lé Cormac go
muirbhfidhe san gcath soin é féin. Gidh eadh, níor mhaith leis a 85
fhios sin do bheith agá mhuintir.

Do orduigh iomorra a chorp do bhreith go Cluain Uama, dá
mbeith ar cumas do chách a bhreith ann, 7 muna mbeith, a bhreith

go reilig Dhiarmada mhic Aodha Róin .i. Díseart Diarmada, áit
90 i raibhe féin dá fhoghlaim i bhfad d'aimsir. Gidh eadh, dob fhearr
leis a adhnacal i gCluain Uama ag Mac Léinín. Ba fearr iomorra
lé Maonach a adhnacal i nDíseart Diarmada, mar a raibhe coimh-
thionól manach do mhuintir Chomhghaill, 7 fá hé Maonach comhar-
ba Comhghaill an tan soin, 7 fá duine cráibhtheach eagnaidhe é, 7 is
95 mór d'ulc 7 do shaothar fuair ag iarraidh síodha do tharraing idir
Laighnibh 7 rígh Mumhan an tan soin.

Acht cheana gluaisid mórán d'fhearaibh Mumhan go neimhchead-
uightheach as an gcath, óir do-chualadar Flann mhac Maoil-
Sheachlainn, rí Éireann, do bheith i longphort Laighean, go sluagh
100 líonmhar dá gcois 7 ar marcaigheacht.

Is ann sin do ráidh Maonach:—

A dheagh-dhaoine Mumhan, ar sé, dobudh críonna dhaoibh na
bráighde maithe thairgthear dhaoibh do ghabháil i n-orláimh
dhaoine gcráibhtheach go Bealltaine .i. mac Cearbhaill ríogh
105 Laighean 7 mac ríogh Osraighe.

Do bhádar fir Mhumhan agá rádh d'aon-ghlór gurab é Flaith-
bheartach mhac Ionmhainéin do choimhéignigh iad um theacht
i Laighnibh.

A haithle na casaoide sin triallaid fir Mhumhan tar Sliabh Mairge
110 soir go Droichead Léithghlinne. Do chomhnuigh iomorra Tiobraide,
comharba Ailbhe, 7 buidhean mhór do chléircibh mar aon ris i
Léithghlinn, 7 giollaidhe an tsluaigh 7 a gcapaill lóin. Do sinneadh
iar sin stuic 7 caismearta catha ag fearaibh Mumhan, 7 tángadar
rompa i Moigh nAilbhe. Do bhádar ann sin i n-ucht choille 7 daingin
115 ag fuireach ris an námhaid. Do-rónsad fir Mhumhan trí catha
commóra dhíobh féin, mar atá Flaithbheartach mhac Ionmhainéin
7 Ceallach mhac Cearbhaill, rí Osraighe, i gceannas feadhna an
chéad-chatha ; Cormac mhac Cuileannáin, rí Mumhan, ós cionn an
dara catha ; Cormac mhac Mothla, rí na nDéise, 7 fuireann
120 d'uaislibh Mumhan ós cionn an treas catha.

Tángadar iomorra amhlaidh sin ar Mhoigh nAilbhe, 7 fá gearánach
iad ar iomad a námhad, 7 ar a loighead féin do shluagh. Óir is eadh

sgríobhaid ughdair, go rabhadar Laighin a cheithre uiread do
shluagh ré fearaibh Mumhan. Ba truagh iomorra an gháir do bhí
san gcath so, amhail innisid eólaigh .i. gáir ag sluagh Mumhan 'gá 125
marbhadh, 7 gáir ag sluagh Laighean ag commaoidheamh an
mharbhtha soin.

Dá chúis cheana fá-deara briseadh d'fhearaibh Mumhan go
hobann san chath soin .i. Céileachair bráthair Chinn Ghéagáin,
ríogh Mumhan, do-chuaidh ar a each, 7 mar ráinig uirre is eadh 130
adubhairt:—

A shaor-chlanna Mumhan, ar sé, teithidh go luath ón chath
adhuathmhar so, 7 léigidh dona cléircibh féin cathughadh do
dhéanamh, ó nár ghabhsad cumhaidh oile acht cath do thabhairt do
Laighnibh. 135

Triallais Céileachair 7 sochaidhe maille fris a láthair an chatha
amhlaidh sin.

Cúis oile fár briseadh d'fhearaibh Mumhan .i. Ceallach mhac
Cearbhaill, mar do-chonnairc sé a mhuintear 'gá dtuargain go
tinneasnach san chath, do ling go hobann ar a each, 7 adubhairt ré 140
a mhuintir:—

Éirgidh go tinneasnach ar bhar n-eachaibh, ar sé, 7 díbridh
uaibh an lucht atá in bhar n-aghaidh.

Agus gé adubhairt sin, ní do chathughadh adubhairt é, acht do
theitheadh. Táinig don dá chúis sin gur ghabhadar fir Mhumhan 145
briseadh i n-aoin-fheacht chuca.

Uch thrá! ba mór an t-ár do bhí ar fhud Moighe nAilbhe an tan
sin. Óir ní tugthaoi coimirce do chléireach seoch laoch ann, gan
commarbhadh do thabhairt orra leath ar leath, 7 an tráth do
haincidhe laoch nó cléireach leó, ní do thrócaire do-nídís sin, acht 150
do shainnt ré fuasgladh d'fhaghail asta.

Triallais Cormac mhac Cuileannáin i dtosach an chéad-chatha.
Gidh eadh, do ling a each i gclais uaidh, 7 do thuit seisean di, 7 do-
chonncadar drong dá mhuintir do bhí ag teitheadh as an maidhm é,
7 tángadar dá fhortacht, gur cuireadh ar a each é. Is ann sin 155
do-chonnairc Cormac dalta saor-chlannda dhó féin, Aodh a ainm,

saoi eagna 7 bhreitheamhnais 7 sheanchais 7 Laidne an fear soin.
Is eadh adubhairt Cormac ris:—

A mheic ionmhain, ar sé, ná lean díom-sa, acht beir as tú mar is
160 fearr go dtiocfaidh leat, 7 do innis mé dhuit go muirbhfidhe san
gcath so mé.

Triallais Cormac roimhe, 7 fá hiomdha fuil daoine 7 each ar feadh
na slighe sin, gur sgiorrsad cosa deiridh an eich do bhí faoi ré sleimhne
na slighe ó lorg na fola. Tuitis an t-each leis sin tar a hais siar, go
165 dtarla Cormac fúithe, gur briseadh a mhuinéal 7 a dhruim mar aon
san easgar soin, 7 adubhairt ag tuitim dhó, In manus tuas, &c.
Éagais an tráth soin, 7 tigid an mhuintear mhalluighthe, gur
ghabhadar dá ngaothaibh ann, 7 beanaid a cheann de.

Is ann sin tángadar drong i ndáil Fhloinn Sionna, ríogh Éireann,
170 7 ceann Cormaic mhic Cuileannáin aca, 7 is eadh adubhradar ré
Flann:—

Beatha 7 sláinte dhuit, a rí chosgraigh chumhachtaigh. Ag so
ceann Chormaic ríogh Mumhan againne dhuit, 7 amhail is béas dona
ríoghaibh oile, tógaibh do shliasaid, 7 cuir an ceann fúithe, 7 foir-
175 dhing é dot shliasaid. Óir fá nós ag na ríoghaibh romhad, an tan do
marbhthaoi rí i gcath leó, a cheann do bhuain de, 7 a chor dá
fhoirdhinge fána sliasaid.

Gidh eadh, ní buidheachas tug ar an druing sin, acht aithbhear
an ghníomha soin do thabhairt orra go mór, 7 adubhairt gur
180 thruaighe a cheann do bhuain don easbog naomhtha, 7 do ráidh
nach diongnadh féin a fhoirdhinge. Agus do ghabh Flann an ceann
'na láimh, 7 do phóg é, go dtug 'na thimcheall fá thrí ceann cois-
reagtha an easbuig naomhtha, 7 rugadh uaidh iar sin an ceann go
honórach d'ionnsaighidh an chuirp, mar a raibhe Maonach mhac
185 Siadhail, comharba Comhghaill. Agus rug sé corp Chormaic go
Díseart Diarmada, gur hadhnaiceadh go honórach ann sin é.

Cia thrá an croidhe leis nach truagh an gníomh so .i. marbhadh
7 teasgadh an duine naomhtha dobudh mó eagna d'fhearaibh
Éireann 'na chomhaimsir, saoi i nGaoidheilg 7 i Laidin, 7 an t-aird-
190 easbog lán-chráibhtheach, iodhan, urnaightheach, geanmnaidh,

diadha, ceann foirceadail 7 fír-eagna 7 soibhéas, aird-rí dhá
chóigeadh Mumhan!

Do thill iomorra Flann Sionna, rí Éireann, ar bhfágbháil Diarmada
mhic Cearbhaill i ríghe Osraighe, 7 ar ndéanamh síodha idir é féin
7 a bhráithribh. Fillid Laighin tar a n-ais mar an gcéadna go 195
mbuaidh gcosgair. Táinig ann sin Cearbhall mhac Muireigéin, rí
Laighean, roimhe go Cill Dara, 7 drong mhór d'fhearaibh Mumhan
i láimh aige, 7 Flaithbheartach mhac Ionmhainéin mar aon riú.
Tugadh iar sin Flaithbheartach go Cill Dara, 7 gabhaid cliar Laighean
ag tabhairt achmhasáin mhóir dhó, óir fá dearbh leó gurab é budh 200
ciontach ris an gcath do chor. Iar n-éag iomorra Chearbhaill, ríogh
Laighean, do léigeadh Flaithbheartach amach, 7 i gcionn bliadhna
do thiodhlaic Muireann, ban-chomharba Brighde, é, 7 do chuir
sluagh mór do chléir Laighean dá choimhéad, go ráinig go Magh
nAirbh, 7 ar rochtain don Mhumhain amhlaidh sin dó, do-chuaidh 205
dá mhainistir féin .i. go hInis Cathaigh, 7 do chaith seal dá aimsir
go cráibhtheach caon-dúthrachtach innte, go dtáinig amach a hInis
Cathaigh arís, do ghabháil ríghe Mumhan, i ndiaidh bháis Dhuibh
Lachtna mhic Mhaoil Ghuala, fá rí ar an Mumhain, seacht mbliadhna
d'éis Chormaic, gur chaith seal bliadhan i bhflaitheas Mumhan dá 210
éis sin.

26. TÓRAIDHEACHT CHEALLACHÁIN CHAISIL

Is i bhflaitheas Donnchaidh mhic Fhloinn tSionna, ríogh Éireann,
fós do-rinneadh na gníomha so síos. Óir is i dtosach a fhlaithis do
ghabh Ceallachán mhac Buadhacháin, ré ráittear Ceallachán Caisil,
ceannas dá chóigeadh Mumhan ar feadh dheich mbliadhan. Féach
mar tháinig Cinnéide mhac Lorcáin go Gleannamhain i gcomhdháil 5
uaisle Mumhan, sul do ríoghadh Ceallachán, 7 do mheas Cinnéide
teacht idir Cheallachán 7 ríoghdhacht Mumhan. Gidh eadh, táinig
máthair Cheallacháin a Caiseal, óir is ann do chomhnuigheadh sí
i bhfochair a hoideadha, comharba Pádraig, 7 ar dteacht san
gcomhdháil dí, adubhairt ré Cinnéide cuimhniughadh ar an dáil do 10

E

bhí idir Fhiachaidh Muilleathan 7 Chormac Cas, fá oighreacht
Mhumhan do bheith fá seach idir an dá shliocht tiocfadh uatha
leath ar leath, 7 táinig d'aitheasg na mná gur léig Cinnéide flaitheas
Mumhan do Cheallachán.

15   Dá éis sin do ghabhadar Lochlannaigh Ceallachán i gceilg, gur
bheansad Síol nEóghain 7 Dál gCais díobh é dá n-aimhdheóin.

Iar mbriseadh iomorra iomad cath do Cheallachán 7 d'uaislibh
Muimhneach ar Lochlannaibh, 7 iarna n-ionnarbadh as an Mumhain,
is í comhairle ar ar chinn Sitric mhac Tuirgéis, fá hard-taoiseach orra,
20 cleamhnas do luadh ré Ceallachán, mar atá a shiúr féin, Bé Bhionn
inghean Tuirgéis, do thabhairt mar bhain-chéile dhó, 7 saoirse dá
chóigeadh Mumhan do bheith aige ó Lochlannaibh gan agra gan
éiliughadh 'na diaidh air, ionnus an tan do rachadh Ceallachán ar
a ionchaibh féin do phósadh a sheathrach, go muirbhfeadh é féin
25 7 an mhéid d'uaislibh Muimhneach do bhiadh mar aon ris. Agus
do léig cogar na ceilge sin ré Donnchadh mhac Floinn, rí Teamhrach,
ar mbeith i bhfaltanas ré Ceallachán dó, tré gan cíos Mumhan do
dhíol ris, 7 uime sin aontuighis do Shitric an chealg d'imirt ar
Cheallachán 7 ar uaislibh Muimhneach. Leis sin cuiris Sitric
30 teachta do luadh an chleamhnasa ré Ceallachán, 7 ar rochtain dona
teachtaibh do láthair Cheallacháin is eadh do thogair, mór-shluagh
do thabhairt ris do phósadh na mná.

Ní hamhlaidh is cóir, ar Cinnéide mhac Lorcáin, óir ní dleaghair
an Mhumha d'fhágbháil gan chosnamh, 7 is eadh is indéanta dhuit,
35 neart sluaigh d'fhágbháil ag coimhéad na Mumhan, 7 cheithre fichid
mac tighearna do bhreith leat do phósadh na mná.

Agus is í sin comhairle ar ar cinneadh leó; 7 ar dtriall san dturus
soin do Cheallachán, an oidhche sul ráinig go hÁth Cliath, fiafruighis
Mór inghean Aodha mhic Eachach, inghean ríogh Inse Fionn-ghall,
40 dobudh bean do Shitric, créad fá raibhe ag déanamh cleamhnasa ré
Ceallachán i ndiaidh ar thuit d'uaislibh Lochlannach leis.

Ní ar a leas luaittear an cleamhnas liom, ar sé, acht ar tí ceilge
d'imirt air.

Beadhgais an bhean leis na briathraibh sin, ar mbeith dhí i ngrádh

fholuightheach ré Ceallachán ré cian d'aimsir roimhe sin, ón tráth 45
do-chonnairc i bPort Láirge é. Agus do-ní moich-éirghe ar maidin
arna mhárach, 7 téid ós íseal ar an raon ionar shaoil Ceallachán do
bheith ag teacht, 7 mar ráinig Ceallachán do láthair, beiris sise
i bhfód fá leith é, 7 nochtais dó an chealg do bhí arna hollmhughadh
ag Sitric 'na chomhair ré a mharbhadh. Agus mar do mheas 50
Ceallachán tilleadh, ní raibhe sé ar cumas dó, óir do bhádar na
moighe dá gach leith don ród lán do sgoraibh Lochlannach i n-oirchill
ar a ghabháil. Mar do thogair tilleadh tar a ais lingthear leó-san dá
gach leith air, 7 marbhthar drong dona huaislibh do bhí 'na fhochair,
7 marbhthar leó-san mar an gcéadna lucht dona Lochlannaibh. 55
Gidh eadh, lingid antrom an tsluaigh ar Cheallachán, gur gabhadh
é féin 7 Donn Cuan mhac Cinnéide ann, 7 rugadh go hÁth Cliath ar
láimh iad, 7 as sin go hArd Macha, mar a rabhadar naoi n-iarla do
Lochlannaibh gona mbuidhin dá gcoimhéad.

Dála na druinge do-chuaidh as ón gcoinbhliocht soin d'uaislibh 60
Muimhneach, triallaid don Mhumhain, 7 nochtaid a sgéala do
Chinnéide, 7 leis sin ollmhuighthear dá shluagh lé Cinnéide do
thóraidheacht Cheallacháin, mar atá sluagh do thír 7 sluagh do
mhuir, 7 do-rinne taoiseach ar an sluagh do bhí do thír do Dhonn-
chadh mhac Caoimh, rí an dá Fhear Moighe, 7 do ghabh Cinnéide 65
ag cor mheisnigh ann, agá mhaoidheamh air go rabhadar aoin-rí
déag dá shinsearaibh i bhflaitheas Mumhan.

Do chuir Cinnéide fós deich gcéad do Dhál gCais leis, 7 triúr
taoiseach ós a gcionn, mar atá Cosgrach, Longhargán 7 Conghalach.

Do chuir Cinnéide fós chúig céad oile do Dhál gCais lé Síoda mhac 70
Síoda ó Chloinn Chuiléin ann, 7 chúig céad oile do Dhál gCais lé
Deaghaidh mhac Domhnaill, i n-éagmais a ndeachaidh do shluagh
ó shaor-chlannaibh oile Mumhan ann.

Do chuir an dara mór-shluagh do mhuir ann, 7 Fáilbhe Fionn,
rí Deasmhumhan, 'na thaoiseach orra.   75

Dála na sluagh do thír, triallaid as an Mumhain i gConnachtaibh,
7 do léigeadar sgeimhealta go Muaidh 7 go hIorras 7 go hUmhall,
do thionól chreach go foslongphort Muimhneach. Agus ní cian do

bhádar isan bhfoslongphort, ag fuireach ris na creachaibh nó ris na
80 sgeimhealtaibh, an tan do-chonnarcadar sluagh deigh-eagair ag
teacht dá n-ionnsaighe, 7 fá hé a líon deich gcéad, 7 aon-óglaoch
'na réamh-thosach. Agus mar ráinig do láthair fiafruighis Donn-
chadh mhac Caoimh cia hí an tsluagh-bhuidhean soin.

Dream do Mhuimhneachaibh iad, ar sé, mar atáid Gaileangaigh
85 7 Luighne do chloinn Taidhg mhic Céin mheic Oilealla Óluim, 7 fir
Dhealbhna do shliocht Dealbhaoith mhic Cais mhic Conaill Each-
luaith, atá ag tabhairt neirt a lámh libh-se, tré chommbáidh
bráithreasa, ré cor i n-aghaidh Dhanar, 7 ré buain Cheallacháin,
ríogh Mumhan, díobh.

90 Agus is amhlaidh do bhádar an sluagh so, 7 chúig céad díobh
do lucht sgiath 7 cloidheamh, 7 chúig céad 'na saighdeóiribh.
Triallaid as sin i dTír Chonaill an sluagh Muimhneach 7 an fhui-
reann soin táinig do chongnamh leó mar aon, 7 creachtar an tír leó.
Tig Muircheartach mhac Arnalaigh d'iarraidh aisig na gcreach go
95 háiseach umhal ar Dhonnchadh mhac Caoimh, 7 adubhairt nach
tiubhradh acht fuidheall sásuighthe na sluagh dhó don chreich.
Leis sin tréigis Muircheartach an sluagh, 7 cuiris teachta ós íseal go
Cloinn Tuirgéis i nArd Macha, 'gá fhaisnéis dóibh an sluagh Mui-
mhneach do bheith ag tóraidheacht Cheallacháin ré a bhuain amach.
100 Dála Chloinne Tuirgéis, triallaid a hArd Macha, naonbhar iarladh
gona sluagh Lochlannach, 7 Ceallachán 7 Donn Cuan i mbroid leó,
go Dún Dealgan.

Iomthúsa shluagh Mumhan, triallaid go hArd Macha, 7 marbhaid
a dtarla dhá gcóir do Lochlannaibh, 7 arna chlos arna mhárach
105 dhóibh Sitric gona shluagh do dhol ré Ceallachán go Dún Dealgan,
triallaid 'na dtóraidheacht. Agus mar do mhothuigh Sitric iad ag
teacht i ngar don bhaile, téid féin 7 a shluagh 'na longaibh, 7 Ceal-
lachán 7 Donn Cuan leó, 7 tig an sluagh Muimhneach ar imeall na
trágha ar a gcomhair, 7 iad ag agallmha Lochlannach. Agus leis
110 sin ad-chíd cabhlach mór ag toidheacht san chuan chuca, 7 tugadar
Muimhnigh aithne gurab é Fáilbhe Fionn gona chabhlach do
bhí ann.

Triallais Fáilbhe gona chabhlach go réim-dhíreach i ndáil na
Lochlannach, 7 tug ucht ar an luing 'na raibhe Tor 7 Sitric 7
Maghnus, 7 lingis ar bord luinge Shitric isteach, 7 dá chloidheamh 115
iona dhá láimh, 7 gabhais ag gearradh na dtéad lé raibhe Ceallachán
ceangailte don tseól-chrann leis an gcloidheamh do bhí 'na láimh
chlí, gur sgaoil do Cheallachán, 7 gur léig ar chláraibh na luinge
anuas é, 7 leis sin tug cloidheamh na láimhe clí do Cheallachán.
Téid Cheallachán a luing Shitric i luing Fháilbhe, 7 anais Fáilbhe ag 120
comhthuargain Lochlannach, gur marbhadh tré anfhorlann Loch-
lannach é, 7 gur bheanadar a cheann de.

Tig Fianghal, taoiseach dá mhuintir, 'na áit san choinbhliocht
soin, 7 beiris go heasaontach ar bhrollach ar Shitric, 7 teilgis iad
araon tar bordaibh luinge amach, go ndeachadar go grian 7 gur 125
báthadh amhlaidh sin iad. Tig Séaghdha 7 Conall, dá thaoiseach
oile, 7 beirid ar dhá bhráthair Shitric .i. Tor 7 Maghnus, 7 beirid
tar bord na luinge amach iad, gur báthadh amhlaidh sin iad a
gceathrar. Agus mar sin dá gach fuirinn oile do Ghaoidhealaibh,
lingid ar Lochlannaibh, gur briseadh 7 gur bearnadh, gur marbhadh 130
7 gur míochóirigheadh leó iad, go nach téarnó dhíobh uatha acht
beagán do-chuaidh tré luas a long as, 7 tigid féin 7 Ceallachán
i dtír, arna fhóirithin a hanbhroid Lochlannach mar sin lé cródhacht
7 lé calmacht na Muimhneach.

Agus triallaid as sin don Mhumhain mar aon ré Ceallachán, gur 135
ghabh sé ceannas a chríche féin arís. Agus ré dtriall dóibh ó Áth
Cliath don Mhumhain, do thogair Murchadh mhac Floinn, rí
Laighean, cath do thabhairt dóibh tré mharbhadh na Lochlannach
ag buain Cheallacháin amach, gidh eadh, ar bhfaigsin chródhachta
7 chalmachta na Muimhneach do léigeadar tharsa iad gan cath do 140
thabhairt dóibh.

Iar dtilleadh iomorra do Cheallachán don Mhumhain, do mheas
méad na hanbhroide do bhí ag Lochlannaibh ar an Mumhain,
7 do-rinne féin 7 uaisle na Muimhneach do chomhairle, ucht do
thabhairt orra dá ndíbirt. Agus lingid ar dtús ar Luimneach, 145
7 marbhais Ceallachán 7 a shluagh chúig céad díobh, 7 tug a

mbráighde leis. Dá éis sin airgthear Corcach leis, 7 tug a mbráighde
7 a maoin leis. Airgthear fós Caiseal leis, 7 marbhthar trí chéad
do Lochlannaibh ann. Téid as sin go Port Láirge, 7 gabhthar an
150 baile 7 airgthear leis é, 7 tug maidhm mór ar Shitric mhac Íomhair,
7 marbhais chúig céad dá mhuintir, 7 teithis Sitric féin 'na luingeas,
7 fillis Ceallachán go Domhnall Ó bhFaoláin, rí na nDéise, 7 tug
a shiúr féin, Gormlaith inghean Bhuadhacháin, 'na mnaoi dhó.

27. MAR DO GHABH BRIAN BÓRAIMHE
FLAITHEAS ÉIREANN

THAIRIS sin, arna mheas d'uaislibh Leithe Mogha 7 d'urmhór
Chonnacht gurab é Brian mhac Cinnéide do bhí ag fagháil duaidh
7 doghrainge ré díbirt Lochlannach a hÉirinn, 7 go dtug Maoil-
Seachlainn, dobudh rí ar Éirinn an tan soin, é féin do shádhaile 7 do
5 sheasgaireacht 7 do shuaimhneas, inneall fá héadtarbhach ré
cosnamh nÉireann an tráth soin, uime sin is í comhairle do cinneadh
lé Brian 7 leis na huaislibh do bhí 'na fhochair, teachta do chor
uaidh go Maoil-Seachlainn .i. rí Éireann, dá nochtadh dhó nárbh
oircheas do neoch flaitheas Éireann do ghabháil, acht an tí do
10 chreanfadh é féin ré tafann eachtrann as an gcrích, 7 ós é Brian do
bhí ag fagháil duaidh a ndíbeartha, gur dhlightheach dhó flaitheas
Éireann d'fhagháil trésan gcrích d'fhóirithin a hanbhroid allmhar-
dhach. Iarraid fós ar an rígh coinne do fhreagra dhóibh ag Moigh
Da Chaomhóg, 7 níor aontuigh sin.
15 Dá éis sin do chuir Brian mhac Cinnéide cruinniughadh 7
coimhthionól ar uaislibh Leithe Mogha uile, idir Lochlannaibh
7 Gaoidhealaibh, go haon-láthair—óir fá héigean don mhéid do
Lochlannchaibh do bhí i Leith Mogha bheith umhal dó fán am
soin—7 triallais Brian leó go Teamhraigh na Ríogh.
20 Leis sin iomorra cuiris teachta uaidh go Maoil-Seachlainn, fá rí
Éireann, 'gá iarraidh air bráighde do chor chuige fá bheith umhal
urramach mar rígh nÉireann dó féin, nó cath do fhreagra dhó.

Gidh eadh, tug Brian a rogha do Mhaoil-Sheachlainn díobh. Dob é freagra Mhaoil-Sheachlainn ar na teachtaibh, dá bhfaghadh cairde míosa ó Bhrian ré coimhthionól Leithe Cuinn chuige go haon- 25 láthair, go dtiubhradh cath nó géill do Bhrian, 7 do ghabh coimirce ag na teachtaibh, gan a léigean do Bhrian an Mhidhe d'ionnradh ná dh'argain, acht anmhain i dTeamhraigh ar feadh na míosa soin, 7 an tan do-ghéabhadh freagra ó Leith Cuinn, go dtiubhradh féin cath nó bráighde dhó. Fillid na teachta tar a n-ais go Brian, 7 30 nochtaid freagra Mhaoil-Sheachlainn orra.

Más eadh, ar Brian, do-bheirim-se an chairde sin dóibh.

Acht cheana, is í comhairle ar ar cinneadh lé Maoil-Seachlainn, Giolla Comhghaill Ó Sléibhín, a ollamh féin, do chor ar ceann Aodha Uí Néill, ríogh Oiligh, 7 Eochaidh mhic Ardghail, ríogh Uladh, 7 35 Cathail Uí Chonchubhair, ríogh Connacht, 'gá iarraidh orra toidheacht gan fhuireach do fhreastal chatha leis féin i n-aghaidh Bhriain 7 Dál gCais, 7 muna dtigdís sin uile do chosnamh shaoirse Teamhrach dá gcineadh féin, atá 'na seilbh ré cian d'aimsir, go dtiobhradh féin bráighde do Bhrian fá bheith umhal dó, do bhrígh 40 nach raibhe féin ionchomhlainn ris—Agus is fíor, ar Maoil-Seachlainn, nach mó do náire dhamh-sa gan Teamhair do chosnamh, ioná do Chlannaibh Néill 7 do shluaghaibh Leithe Cuinn ar-cheana.

Triallais an t-ollamh leis na sgéalaibh sin ó Mhaoil-Sheachlainn go huaislibh Leithe Cuinn, 7 nochtais a thurus 7 a thoisg dhóibh. 45 Gidh eadh, is é freagra tug Aodh Ó Néill air:—

An tan do bhí Teamhair ag Cinéal Eóghain, ar sé, do chosnadar féin í, 7 an té agá bhfuil sí anois, seasuigheadh a saoirse.

Agus adubhairt fós nach cuirfeadh féin Dál gCais i bhfalaidh ris ag cosnamh ríghe do neoch oile. Táinig an t-ollamh tar a ais go 50 Maoil-Seachlainn, 7 nochtais freagra Aodha Uí Néill dó. Acht cheana, téid Maoil-Seachlainn féin d'ionnsaighe Aodha, 7 gabhais agá ghuidhe um theacht leis do chor chatha i n-aghaidh Dhál gCais, 7 adubhairt ris:—

Cosain Teamhair dhuit féin, ar sé, 7 do-bhéar-sa bráighde dhuit 55 fá Theamhair do léigean chugat, óir is fearr liom ionás a bheith ag

Brian. Thairis sin muna dteaga tusa liom, caithfead umhla do
Bhrian, ó nach fuilim ionchomhraig ris.

Cuiris Aodh Ó Néill cruinniughadh 7 coimhthionól ar Cinéal
60 nEóghain go haon-láthair chuige, 7 nochtais dóibh turus Mhaoil-
Sheachlainn dá n-ionnsaighe, 7 na tairgseana thug dó féin tré dhol
leis do chor chatha i n-aghaidh Bhriain 7 Dál gCais. Do fhreagairsead
Cinéal Eóghain dó, 7 is eadh adubhradar, nach raibhe acht cealg
i ngealladh Mhaoil-Sheachlainn dó:—
65   Óir is dearbh leis gurab sine 7 gurab fearr é féin ioná thusa, 7 uime
sin nach iarrfá flaitheas nÉireann air féin feadh a ré. Gidh eadh, ar
siad, dobudh maith leis sinne 7 tusa do dhol leis do fhreastal chatha
dhó i n-aghaidh Dhál gCais.

Thairis sin do ráidh Aodh riú dol do chinneadh chomhairle
70 eatorra féin fán gcúis sin, 7 freagra maith do thabhairt ar Mhaoil-
Seachlainn—Ionnus, ar sé, nach budh dortadh flaithis dúinn a
thurus chugainn.

Do-chuadar iomorra Cinéal Eóghain i gcogar 7 i gcomhairle
eatorra féin fán gcúis sin, 7 is eadh do measadh leó, dá dtéighdís
75 féin do chor chatha i n-aghaidh Dhál gCais, nár chosmhail a bheag
díobh do thilleadh tar a n-ais ón gcathughadh soin. Ar an adhbhar
soin adubhradar nárbh fholáir leó sochar d'fhagháil dá gcloinn tar
a n-éis:—

Óir ní bhiadh ar súil-ne ré sochar ná ré somhaoin dár rochtain
80 féin, ar siad, dá ndeachmaois do chathughadh ré Dál gCais .i. an
cineadh is cródha 7 is calma i gcath-láithribh; 7 an cineadh fós nár
theith ré Lochlannchaibh riamh, is deimhin nach teithfidís ro-
mhainne acht mar sin.

Uime sin is í comhairle ar ar cinneadh leó, leath na Midhe 7
85 fhearainn na Teamhrach d'fhagháil ó Mhaoil-Sheachlainn dóibh
féin 7 dá shliocht 'na ndiaidh, tré theacht leis san gcomhdháil sin,
7 nochtaid do Mhaoil-Sheachlainn gurab í sin comhairle ar ar
chinnsead.

Arna chlos sin do Mhaoil-Sheachlainn gabhais fearg mhór é, 7 do
90 imthigh uatha fá dhiomdhaidh dá thoigh, 7 cuiris cruinniughadh

ar Chloinn Cholmáin chuige, 7 innisis freagra Aodha Uí Néill
7 Chinéil Eóghain dóibh. Acht cheana, is í comhairle do-rónsad
uime sin, Maoil-Seachlainn do dhol ar a aghaidh go teach mBriain,
mar a raibhe i bhfoslongphort i dTeamhraigh ré mí roimhe sin, 7 fir
Mhidhe 'gá bhiathadh ann.

Triallais iomorra Maoil-Seachlainn go Teamhraigh, 7 dá fhichid 95
déag marcach 'na fhochair, gur thuirling ar faithche na Teamhrach
amhlaidh sin, 7 téid do láthair gan chor gan choimirce go teach
mBriain, ar oineach Bhriain féin 7 Dál gCais, 7 do innis a sgéala
ó thús go deireadh do Bhrian, 7 adubhairt dá mbeith féin ionbhuailte 100
ré Brian gomadh cath do-bhéaradh dhó, 7 ó nach raibhe, gur do
thabhairt bhráighde 7 ghiall dó tháinig an tráth soin. Arna chlos
sin do Bhrian is eadh adubhairt:—

Ó thángais im theach-sa gan chor gan choimirce, do-bheirim
cairde bliadhna dhuit gan géill ná bráighde d'iarraidh ort, 7 rachad- 105
sa féin d'fhios na druinge sin budh thuaidh .i. Aodh Ó Néill 7
Eochaidh mhac Ardghail, rí Uladh, go bhfeasainn gá freagra do-
bhéaraid oram, 7 madh cath do-bhéaraid damh, ná cuir-se im
aghaidh leó.

Geallais Maoil-Seachlainn nach cuirfeadh, 7 adubhairt nárbh 110
í a chomhairle féin do Bhrian dol budh thuaidh an tráth soin, acht
gurbh fhearr dhó dol dá thoigh go ham oile—Óir is lór dhuit mise
do ghiall duit don turus so.

Do cinneadh ar an gcomhairle sin leó, 7 fá maith ré Dál gCais é,
do bhrígh go rabhadar i ndeireadh a lóin do chaitheamh. Agus ar 115
mbeith ag tilleadh tar a ais do Bhrian, do bhronn sé dá fhichid déag
each do Mhaoil-Sheachlainn, mar aon ré hiomad óir 7 airgid do
dháil dá mhuintir.

I gcionn bhliadhna iar sin do cruinnigheadh 7 do coimhthionóil-
eadh mór-shluagh Leithe Mogha uile idir Ghaoidhealaibh 7 120
Lochlannaibh lé Brian mhac Cinnéide. Tángadar ann Lochlannaigh
Átha Cliath 7 Phuirt Láirge 7 Locha Garman 7 Ó nEachach
Mumhan, Chorca Luighdheach 7 Uíbh gCinnsealaigh, 7 triallais
Prian leis an mór-shluagh sin go hÁth Luain, go dtugadar uaïsle

125 Connacht bráighde uatha fá bheith umhal mar aird-rígh dhó.
Cuiris iomorra Brian teachta go Maoil-Seachlainn dá iarraidh air
bráighde do chor chuige go hÁth Luain, 7 táinig Maoil-Seachlainn
féin do thabhairt ghiall 7 bhráighdeadh dhó.

Is ann sin iomorra do-rónadh mór-shluagh fhear Mumhan
130 7 Chonnacht 7 Laighean 7 fhear Midhe lé Brian, 7 téid leó go Dún
Dealgan, gur gabhadh gialla 7 bráighde Uladh uile leis.

Agus is mar sin do ghabh Brian Bóraimhe ríoghdhacht nÉireann,
lé calmacht 7 lé cródhacht a ghníomh goile 7 gaisgidh, ag ionnarbadh
eachtrann 7 Danar as an gcrích, 7 ní go cealgach amhail adeirid
135 drong oile. Óir ní hé an mac i n-áit an athar fá gnáth ag gabháil
fhlaitheasa Éireann, mar is follus as an stair anuas go ró so, acht
an tí fá mó oirbheart 7 árrachtas gníomh, is dó do léigthí flaitheas
Éireann. Agus do bhrígh gurab é Brian fá mó oirbheart 'na aimsir
féin d'Éireannchaibh, do thoghadar urmhór uaisle Éireann ré
140 ceannas na críche do ghabháil é, 7 an mhéid díobh nár aontuigh
flaitheas Éireann dá rochtain, fá héigean dóibh gialladh dhó dá
n-aimhdheóin, 7 fá héigean do Mhaoil-Sheachlainn flaitheas Éireann
do thréigeadh, 7 a léigeadh do Bhrian amhail adubhramar.

28. FÁTH CATHA CLUANA TARBH

Ar mbeith do Bhrian Bhóraimhe gan imreasan gan easaonta 'na
chomhnaidhe i gCeann Choradh, athchuinghis ar rígh Laighean .i.
Maol Mórdha mhac Murchadha, trí seól-chrainn d'fhiodhbhaidh
álainn a Fiodh Gaibhle do chor chuige. Do beanadh na seól-
5 chrainn lé rígh Laighean, 7 triallais féin leó go Ceann Choradh,
mar a raibhe Brian an tráth soin, 7 tug fá-deara ar Uíbh Failghe
seól-chrann díobh d'iomchar, 7 seól-chrann oile ar Uíbh Faoláin,
7 an treas seól-chrann ar Uíbh Muireadhaigh, go dtarla iomar-
bháigh chainte eatorra ag dul i n-aghaidh Sléibhe an Bhogaigh.
10 Agus leis sin téid rí Laighean féin fá sheól-chrann Ó bhFaoláin,
7 ionar sróill tug Brian dó roimhe sin uime, 7 corthair óir 'na

thimcheall 7 cnaipe airgid ann, 7 ré méad an fheadhma do chuireadh
rí Laighean air féin fán seól-chrann, do bhris an cnaipe do bhí 'na
bhrat. Agus ar rochtain dóibh go Ceann Choradh, cuiris rí Laighean
a ionar dhe, 7 tug dá shiair, do Ghormlaith inghin Mhurchadha 15
(.i. bain-chéile Bhriain) an t-ionar, do chor chnaipe ann. Do
ghlac an ríoghan an t-ionar, 7 tug urchar dhe san teinidh do bhí
'na fiadhnaise, 7 do ghabh ag iomcháineadh ar a dearbhráthair
tré bheith fá mhoghsaine, nó fá dhaoirse, do neoch san domhan—
An ní, ar sí, nár fhaomh th'athair ná do shean-athair. Agus do 20
ráidh go sirfeadh mac Briain ar a mhac-san an ní céadna.

Acht cheana fá cumhain lé Maol Mórdha comhrádh na ríoghna.
Agus tarla do Mhurchadh mhac Briain 7 do Chonaing mhac Duinn
Chuan bheith ag imirt fithchle arna mhárach—nó do réir dhruinge
oile, is é comharba Caoimhghin Ghlinne dá Loch do bhí ag imirt 25
ré Murchadh. Gabhais Maol Mórdha .i. rí Laighean ag teagasg ar
Mhurchadh, 7 do theagaisg beirt dia rugadh cluiche air.

Is tú thug comhairle do Lochlannaibh dár briseadh dhíobh i
gcath Ghlinne Máma, ar Murchadh.

Má thugas comhairle dhóibh dár briseadh dhíobh ann sin, ar 30
Maol Mórdha, do-bhéar comhairle oile dhóibh lé mbrisfid siad
ort-sa arís.

A shlán sin fúthaibh! ar Murchadh.

Fá feargach Maol Mórdha dhe sin, 7 téid dá thoigh leaptha, go
nach fríoth uaidh dol san teach n-óla an oidhche sin, 7 do imthigh 35
i mocha na maidne arna mhárach gan cheileabhradh do Bhrian.

Arna chlos iomorra do Bhrian gur fhágaibh rí Laighean an
longphort gan cheileabhradh dhó féin, cuiris giolla grádha dá
mhuintir dá fhastódh, go dtugadh féin tuarastal 7 tabhartas dó.
Is ann rug an giolla air, i gcionn chláir Chille Dhá Lua, don leith 40
thoir don tSionainn, 7 é ag dol ar a each, 7 nochtais an giolla
a theachtaireacht ó Bhrian dó. Iompuidhis Maol Mórdha .i. ri
Laighean, ar an ngiolla, 7 buailis trí bhuille don tslait iubhair do
bhí 'na láimh air, gur bhris cnámha a chloiginn, gurab ar iomchar
rugadh go teach Briain é. Cogarán ainm an ghiolla, 7 is uaidh 45

atáid Uí Chogaráin san Mumhain. Do sanntuigheadh lé fuirinn do
theaghlach Chinn Choradh rí Laighean do leanmhain, 7 gan a
léigeadh go Laighnibh gomadh riarach ó Bhrian é. Acht cheana
do ráidh Brian nach léamhthaoi feall do dhéanamh 'na thigh féin
50 air—Gidh eadh, ar sé, is do cholbha a thighe féin iarrfaidhear
cóir air.

Triallais Maol Mórdha rí Laighean dá dhúthaigh féin, 7 cuiris
cruinniughadh 7 coimhthionól ar mhaithibh Laighean chuige, 7
innisis dóibh míochádhas 7 aithis bhréithre d'fhagháil dó féin
55 7 dá chóigeadh uile i gCeann Choradh. Uime sin is í comhairle
ar ar cinneadh aca, iompódh ar Bhrian, iad féin 7 neart Loch-
lannach, gur commóradh cath Cluana Tarbh eatorra. Agus do
bhrígh nár fhágaibh Brian líon catha do chor do Lochlannaibh
i nÉirinn, acht an dream dá dtug fulang bheith ar seilbh chean-
60 naigheachta i nÁth Cliath, i Loch Garman, i bPort Láirge, i gCor-
caigh, 7 i Luimneach, ré trácht ceannaigheachta do tharraing
a tíribh oile go hÉirinn, is í comhairle ar ar cinneadh lé rígh Lai-
ghean, fios do chor go rígh Lochlann, d'iarraidh neirt sluagh air
ré freastal catha do Bhrian ar Moigh nEalta i gCluain Tarbh.
65 Agus ar rochtain sgéal go rígh Lochlann, cuiris a dhias mac, *Carolus
Cnutus* 7 *Andreas,* mar aon ré dhá mhíle dhéag do shluagh Loch-
lannach, do chongnamh ré rígh Laighean do chor chatha Chluana
Tarbh, 7 ar rochtain i dtír i nÁth Chliath dhóibh, do chuir rí
Laighean sgéala go Brian d'fhógra catha Cluana Tarbh do chor
70 ris air.

29. FILLEADH Ó FHINE GHALL

Ar dtabhairt iomorra chatha Chluana Tarbh, 7 ar marbhadh
Bhriain 7 Mhurchaidh, 7 iomaid do Ghaoidhealaibh mar aon riú,
7 iar mbriseadh do Lochlannaibh 7 do Laighnibh, 7 ar marbhadh
a n-urmhóir san chath soin, 7 ar dtriall do Dhál gCais 7 do shliocht
Fiachaidh Muilleathain, an mhéid do mhair tar éis an chatha
soin, tar ais go Mullach Mhaistean, is ann sin do-rónsad sliocht

Fhiachaidh sluagh ar leith dhíobh féin, 7 do sgarsad ré Dál gCais, 7 do cinneadh comhairle aca, ó fríoth Dál gCais i n-uathadh sluagh 7 sochaidhe, teachta do chor go Donnchadh mhac Briain, 7 géill d'iarraidh air, 7 a nochtadh dhó go rabhadar géill uatha-san agá 10 athair 7 ag bráthair a athar, 7 adubhradar gurab dóibh féin budh cóir ríghe Mumhan gach ré bhfeacht.

Ní dábhar ndeóin do bhí sibh ag athair ná ag bráthair dhamh-sa, ar Donnchadh, acht iad féin do bhean umhla dábhar n-aimhdheóin díbh, 7 d'fhearaibh Éireann maille ribh. 15

Agus adubhairt Donnchadh nach tiubhradh géill ná urraidhe dhóibh-sean ná do neoch oile, 7 do ráidh dá mbeith coimhlíonadh catha dhóibh-sean aige, nach léigfeadh uaidh iad gan géill ré bheith umhal dó féin, amhail do bhádar dá athair.

Ar gclos an sgeóil sin do shluagh Deasmhumhan, do éirgheadar 20 go hathlamh obann, 7 do ghabhsad a n-arma, 7 tángadar do thabhairt chatha do Dhál gCais. Do ráidh Donnchadh mhac Briain an tan soin ré a mhuintir a n-othair do chor isteach i Ráith Mhaistean, 7 trian an tsluaigh 'gá gcoimhéad—Agus freagradh, ar sé, an dá dtrian oile cath don lucht úd. 25

Gidh eadh, ní rabhadar Dál gCais acht aoin-mhíle amháin d'fhuidheall áir an tan sin, 7 do bhádar Deasmhumhain trí mhíle do shluagh. Ó'd-chualadar na hothair an comhrádh sin Donnchaidh, do éirgheadar go héasgaidh, 7 do chuirsead caonnach 'na gcneadhaibh 7 'na gcréachtaibh, 7 do ghabhsad a n-arma 'na lámhaibh, 30 7 dob í a gcomhairle an cath do thabhairt. Ó'd-chonncadar sliocht Fhiachaidh Muilleathain an meisneach soin do ghabh Dál gCais, idir shlán 7 easlán, do sochtadh leó fán gcath do thabhairt, 7 triallaid rompa dá dtighthibh gan géill d'fhagháil ó Dhál gCais. 35

Iomthúsa Dhál gCais, triallaid rompa as sin go hÁth Í, ar brú Bhearbha, 7 cromaid ar uisge dh'ól ann. Do bhí Donnchadh Mhac Giolla Phádraig, rí Osraighe, ar a gcionn ann sin go líon a shluagh 7 a thionóil .i. Laighin 7 Osraighe, ar Moigh Chloinne Ceallaigh, 7 coimhéad uaidh ar Dhál gCais, gá slighe i ngéabhdaois, ar mhéad 40

a fhaladh riú. Óir is é Brian do cheangail 7 do chuibhrigh athair
Dhonnchaidh, 7 do bhí bliadhain i gcuibhreach aige, 7 do creachadh
7 do fásuigheadh Osraighe uile 7 do marbhadh iomad dá ndaoinibh
leis. Uime sin do chuimhnigh Mac Giolla Phádraig an fhalaidh
45 do Dhál gCais, 7 do chuir teachta uaidh go hÁth Í dá n-ionnsaighe,
'gá iarraidh orra bráighde do chor chuige, tréna léigean as an áit
sin thairis. Gidh eadh, fá hé freagra Dhonnchaidh mheic Briain ar
na teachtaibh, nach tiubhradh bráighde dhóibh.

Más eadh, ar na teachta, caithfidhe cath do fhreagra do Mhac
50 Giolla Phádraig.

Do-ghéabhaidh sé cath, ar Donnchadh, 7 is truagh nach é an
bás fuair ar n-athair fuaramair-ne, sul ráinig do léan orainn iad-san
d'iarraidh giall orainn.

Adubhradar na teachta ris gan fearg do bheith air, 7 nach raibhe
55 líon catha do thabhairt do Mhac Giolla Phádraig.

Acht dámadh gnáth aithbhear a dteachtaireachta do thabhairt
ar theachtaibh ar bioth, ar Donnchadh, do beanfaidhe bhar
dteangtha as bhar gceannaibh agam-sa. Óir gion go mbeinn-se
acht éin-ghiolla amháin do shochraide, ní thiubhrainn obadh
60 comhraig do Mhac Giolla Phádraig 7 d'Osraighibh.

Is ann sin do orduigh Donnchadh mhac Briain trian an tsluaigh
do choimhéad a n-othar, 7 an dá dtrian oile do fhreastal an chatha.
Ó'd-chualadar na hothair sin do éirgheadar go hobann, gur briseadh
ar a gcneadhaibh 7 ar a gcréachtaibh, gur líonsad do chaonnach
65 iad, 7 do ghabhsad a sleagha 7 a gcloidhmhe, 7 tángadar i measg
cháich amhlaidh sin 7 adubhradar ré mac Briain daoine do chor
fá choill, 7 cuailleadha coimhneartmhara do thabhairt leó, 7 a
sáthadh san talmhain—Agus ceangailtear sinn ré a n-ais, ar siad,
7 tugthar ar n-airm ionar lámhaibh, 7 curthar ar meic 7 ar mbráithre
70 mar aon rinn .i. dias d'fhearaibh slána i dtimcheall an fhir ghonta
againn, ionnus gurab díochraide ar bhfeidhm lé chéile sin. Óir ní
léigfe an náire don fhior shlán gluasacht, nó go ngluaise an fear
gonta ceangailte againn.

Do-rónadh leó amhlaidh sin, 7 ba machtnadh meanman 7 ba

hiongantas adhbhal-mhór an t-ordughadh soin do chuireadar Dál 75
gCais orra féin.

Ó'd-chonncadar Laighin 7 Osraighe an meisneach mór-adhbhal
soin ag éirghe i nDál gCais, do ghabh gráin 7 eagla iad rompa,
7 is eadh adubhradar:—

Ní triall teithidh, ní sgaoileadh ná sgannradh fhóbraid Dál 80
gCais do dhéanamh, acht cath dlúith daingean do dhéanamh
dhíobh féin. Ar an adhbhar soin ní thiubhraim-ne cath dhóibh.
Óir is coimhdheas ré bás nó ré beathaidh d'fhulang iad.

Adubhairt Mac Giolla Phádraig—Is tláith dhaoibh-se sin do rádh,
óir atáthaoi líon a n-itte súd, dámadh biadh ollamh iad.   85

Is fíor sin, ar siad, 7 gidh fíor, ní muirbhfidhear aon-duine
dhíobh súd gan cúigear nó seisear do thuitim leis. Agus gá feirrde
dhúinne ar gcommarbhadh riú?

Ó nach áil libh cath do thabhairt dóibh, ar Mac Giolla Phádraig,
déanaidh tóraidheacht orra. Óir atáid súd troim-chréachtach, 7 ní 90
fhéadfaid iomruagadh ribh-se.

Do-rónadh amhlaidh sin leó, 7 fá measa ré Dál gCais sin ioná
cath do thabhairt dóibh. Triallaid iomorra Dál gCais dá ndúthaigh
féin go heasbadhach éagcruaidh, 7 ní ráinig don bhaile i n-aoin-
fheacht ré mac Briain díobh acht ocht gcéad go leith, óir do 95
chaillsead céad go leith san iomruagadh soin ag Osraighibh, ar
locadh catha orra.

30. DIARMAID NA NGALL

Do ghabh Ruaidhrí Ó Conchubhair ceannas Connacht 7 urmhóir
Leithe Cuinn, do bhrígh gur ghiall rí Oirghiall, rí Midhe 7 rí Bréifne
dhó, 7 fós gairmthear rí Éireann uile dhe san Seanchas. Gidh
eadh, ní raibhe acht rí go bhfreasabhra ann, mar atá rí agá raibhe
mórán d'uaislibh Éireann ag cor 'na aghaidh fá fhlaitheas nÉireann 5
do bheith 'na sheilbh. Agus is ré linn Ruaidhrí Uí Chonchubhair do
bheith i gceannas mar sin do chuir bean Tighearnáin Chaoich Uí
Ruairc (Dearbhorgaill fá hainm dhi, 7 fá hinghean do Mhurchadh

mhac Floinn, rí Midhe í, 7 nocharbh í bean ríogh Midhe í, amhail
10 adeir *Cambrens*) teachta ós íseal go Diarmaid Mhac Murchadha,
agá iarraidh air teacht 'na coinne féin, dá breith leis ó Thighearnán
mar mhnaoi dhó féin. Agus adubhairt ris na teachtaibh a nochtadh
do Dhairmaid go ndeachaidh Tighearnán ar turus go huaimh
Purgadóra Pádraig, 7 mar sin go bhfuighbheadh seisean uain
15 7 uaigneas ar í féin do bhreith leis i Laighnibh. Do bhí iomorra
cumann mímhéine eatorra ré cian do bhliadhnaibh roimhe sin.

Dála Dhiarmada, ar rochtain na sgéal soin chuige, triallais go
héasgaidh d'íhios na mná go sluagh-bhuidhin mharcach 'na fhochair,
7 ar rochtain mar a raibhe an bhean dó, tug fá-deara a tógbháil
20 ar cúlaibh marcaigh, 7 leis sin guilis 7 sgreadais an bhean go
cealgach, mar gurab ar éigin do bhéaradh Diarmaid leis í; 7 tillis
lé mar sin go Laighnibh tar ais.

Iomthúsa Thighearnáin, iar dtoidheacht tar ais don Bhréifne
dhó, 7 iarna chlos gurab dá haimhdheóin rugadh a bhean uaidh,
25 éagcaoinis an ainbheart soin ré Ruaidhrí Ó Conchubhair 7 réna
chairdibh ar-cheana.

Cuiris Ruaidhrí leis sin cruinniughadh ar fhearaibh Chonnacht,
Bhréifne, Oirghiall, 7 Mhidhe, 7 triallais do lot Laighean go sluagh
líonmhar maille ris, i ndíol an mhíghníomha sin do-rinne Diarmaid.
30 Arna chlos do Dhiarmaid Ruaidhrí do bheith ag teacht do lot
Laighean, cuiris cruinniughadh 7 coimhthionól ar uaislibh Laighean,
as gach leith, 7 ar rochtain go haon-láthair dhóibh, dob é a bhfreagra
ar Dhiarmaid, nach rachdaois do sheasamh an mhíghníomha
do-rinne seisean. Agus leis sin do thréigeadar mórán díobh é,
35 7 do-chuadar ar choimirce Ruaidhrí, 7 nochtaid dó gurab iomdha
éagcóir 7 aindlighe do-rinne Diarmaid roimhe sin orra.

Mar nach raibhe Diarmaid líon cathuighthe ré Ruaidhrí, tug
Ruaidhrí ucht ar an mhéid do ghabh lé Diarmaid do Laighnibh do
lot, 7 téid roimhe go Fearna, gur thrasgair teach Dhiarmada,
40 7 gur bhris a dhún, 7 gur dhíbir a hÉirinn uile é. Agus triallais
Diarmaid gusan dara Henrí, rí Sagsan, do bhí san bhFraingc an
tráth soin, 7 ar rochtain do láthair an ríogh dhó, fáiltighis an rí

roimhe, 7 do-rinne iomad muinteardhais ris, 7 an tan do nocht
fáth a thuruis don rígh, sgríobhais an rí leitreacha cairdeamhla
leis i Sagsaibh, mar a dtug cead dá gach aon lérbh fheirrde teacht 45
do neartughadh leis i nÉirinn, do bhuain a chríche féin amach.

Ceileabhrais Diarmaid leis sin don rígh, 7 triallais i Sagsaibh,
go ráinig *Bristoe*, 7 tug fá-deara a leitre do léaghadh go puiblidhe
ann sin, 7 do gheall tairgseana móra don druing do thiocfadh leis
do bhuain a chríche féin amach.   50

Is ann sin tarla Risteard mhac Gilbeirt, mac iarla Stranguell
air, 7 do cheangail connradh ris, mar atá a inghean féin .i. Aoife
inghean Diarmada do thabhairt 'na mnaoi dhó, 7 oighreacht
Laighean ris an inghin, i ndiaidh a bháis féin, 7 d'fhiachaibh ar
Risteard teacht 'na dhiaidh i nÉirinn, do bhuain a chríche amach 55
dhó.

Ar gceangal ar na heachtaibh sin dóibh, triallais Diarmaid go
Breatain, go prionnsa do bhí ann darbh ainm *Raph Griffin*, do bhí
i gceannas na críche fán rígh Henrí, 7 nochtais a dháil dó. Tarla
an uair sin duine uasal árrachtach oirbheartach darbh ainm 60
Roibeard mhac Stiabhna i bpríosún ag an bprionnsa soin tré
mhíréir an ríogh do dhéanamh, 7 ní raibhe dáil chabhra 'na chionn,
acht muna ngabhadh ré ais triall i nÉirinn do thabhairt neirt a
láimhe lé Mac Murchadha, ré buain a chríche amach dhó. Agus
arna chlos d'easbog San Dáibhídh 7 do Mhuiris mhac Gearailt go 65
dtáinig Mac Murchadha d'fhios an phrionnsa soin ré hiarraidh
Roibeird mhic Stiabhna as an mbráighdeanas 'na raibhe, tángadar
féin do chor impidhe mar an gcéadna air, fá sgaoileadh do Roibeard
7 fána léigeadh lé Mac Murchadha i nÉirinn. Clann aon-mháthar
iomorra an t-easbog soin 7 Roibeard mhac Stiabhna 7 Muiris 70
mhac Gearailt.

Léigis thrá an prionnsa Roibeard amach, ar eacht go leanfadh
Mac Murchadha i nÉirinn an samhradh ba neasa dhó. Geallais
Diarmaid don leith oile Loch Garman 7 an dá thriúcha chéad fá
goire dhó mar dhúthaigh dhílis go bráth do Roibeard mhac Stiabhna, 75
tré theacht do chongnamh leis i n-aghaidh a easgcarad. Agus i

ndiaidh an cheangail sin do dhéanamh, ceileabhrais Diarmaid
don druing sin, 7 triallais taoibh ré beagán buidhne go hÉirinn.
Ar rochtain i dtír dhó, mar a raibhe iomad easgcarad 7 teirce
80 carad aige, tig ós íseal go Fearna Mhóir Mhaodhóg, ar dhídean
cléire 7 coimhthionóil Fearna, 7 do bhí go dubhach dearóil 'na
bhfochair feadh na haimsire sin go teacht don tsamhradh.

31. GABHÁLTAS GALL

DÁLA Roibeird mheic Stiabhna, táinig do chomhall a gheallaidh
do Mhac Murchadha, 7 is é líon sluaigh tháinig leis i nÉirinn,
tríochad ridire, 7 trí fichid sguibhéir 7 trí chéad troightheach,
7 is é áit ar ghabhadar tír, i gCuan an Bhainbh, i n-imeall Chonntae
5 Locha Garman theas, san áit ré ráittear *Baganbon*, 7 fá hí aois an
Tighearna an tan soin 1170, 7 an seachtmhadh bliadhain do
fhlaitheas Ruaidhrí Uí Chonchubhair. Do bhí fós ridire prinnsio-
pálta i bhfochair Roibeird mheic Stiabhna an tan soin, mar atá
Herimont Mᶜrti, ridire do mhuintir iarla ó Stranguell, do chuir
10 roimhe i nÉirinn do mheas na tíre, 7 ar rochtain i dtír dhóibh ann
sin, cuiris Roibeard sgéala go Diarmaid, dá nochtadh dhó é féin
do theacht i nÉirinn.

Arna chlos sin do Dhiarmaid, do ghabh lúthgháir é, 7 téid chúig
céad laoch 'na gcoinne, 7 ar rochtain i gcomhdháil a chéile dhóibh,
15 triallaid d'aon-chomhairle d'ionnsaighe Locha Garman, dá bhuain
amach, 7 ar dtoidheacht i ngar don bhaile dhóibh, is í comhairle
ar ar cinneadh leis na buirgéisibh, gialladh do Dhiarmaid, 7 ceathrar
d'uaislibh an bhaile do thabhairt i ngioll ré comhall síodha dhó,
7 ré díol cíosa 7 cánachais, 7 ré bheith umhal mar thighearna dhó.
20 Is ann sin iomorra do bhronn Diarmaid Loch Garman 7 an dá
thriúcha chéad dob fhoigse dhó do Roibeard mhac Stiabhna, 7 do
bhronn an dá thriúcha chéad dob fhoigse dhóibh sin arís do *Heri-
mont Morti*, do réir an gheallaimh tug dhóibh i mBreatain. Agus
ıar gcoimhlíonadh an gheallaimh sin, do chuir Diarmaid cruinn-

iughadh ar a mhuintir féin 7 ar na Gallaibh go haon-láthair 25
7 is é líon sluagh do bhádar ann, trí mhíle fear idir Ghaoidheal
7 Ghall, 7 triallaid d'éin-mhéin as sin d'argain 7 do chreachadh
Osraighe. Agus is é fá rí ar Osraighibh an tan soin, Donnchadh
mhac Domhnaill Reamhair, biodhbha bhunaidh do Dhiarmaid,
7 mar rángadar do lot Osraighe, 7 gan cosnamh ag Donnchadh 30
air féin, is í comhairle ar ar chinn féin 7 maithe a dhúithche, géill
do thabhairt dó ré díol aird-chíosa ris, 7 is mar sin do coisgeadh
Diarmaid ó lot na críche.

Mar do-chualadar thrá uaisle Éireann toidheacht Diarmada 7
na nGall soin, 7 gach áitheas dár éirigh leó, do-chuadar do chinneadh 35
chomhairle ré Ruaidhrí Ó gConchubhair, rí Connacht, do ghabh
barántas Éireann ré ais an tráth soin, 7 is eadh do commóradh leó,
congnamh sluaigh do thabhairt as gach cóigeadh i nÉirinn dó,
7 ar gcruinniughadh na sluagh soin ar aon-láthair, triallais Ruaidhrí
leó go hUíbh gCinnsealaigh, i ndóigh ré tafann Diarmada 7 na 40
nGall a hÉirinn. Agus mar ráinig Ruaidhrí go Laighnibh, do-
chuaidh Diarmaid, 7 na Gaill, 7 an mhéid do lean do Laighnibh é,
i gcoilltibh daingne diamhaire láimh ré Fearna Mhóir Mhaodhóg,
dá ndídean féin ar antrom shluagh Ruaidhrí. Mar do-chonnairc
iomorra Ruaidhrí nach rabhadar ar tí catha do fhreastal dó, do 45
chuir teachta go Roibeard mhac Stiabhna, 'gá iarraidh air an tír
d'fhágbháil, 7 nach raibhe ceart ná dúthchas aige ar bheith innte.
Adubhairt Roibeard, ag freagra dona teachtaibh, nach tréigfeadh
an tighearna lé a dtáinig i nÉirinn. Fillid na teachta leis na
sgéalaibh sin go Ruaidhrí, 7 arna gclos dó, 7 fós arna chlos dó 50
nach tréigfeadh Mac Murchadha na Gaill ar aon-chor, do chuir
roimhe lingeadh líon sluaigh 7 sochaidhe ar Dhiarmaid 7 ar na
Gallaibh do bhí 'na fhochair, dá milleadh 7 dá míochórughadh.

Mar do-chonncadar cliar Laighean an chríoch i mbaoghal a
millte 7 a míochóirighthe ón spairn sin, do-níd dícheall ar shíoth 55
do tharraing idir Ruaidhrí 7 Diarmaid. Agus is amhlaidh do
críochnuigheadh an tsíoth sin eatorra, cóigeadh Laighean do
léigeadh do Dhiarmaid amhail fá dúthchas dhó, 7 d'fhiachaibh air

umhlacht 7 dísleacht do bheith aige do Ruaidhrí, amhail fá dual
60 dá gach rígh dá mbíodh ar Laighnibh do dhéanamh do ríoghaibh
Éireann; 7 i ngioll ré comhall na síothchána sin, tug Diarmaid
mac dhó féin, darbh ainm Art, 'na ghiall do Ruaidhrí. Do gheall
fós Ruaidhrí a shiúr féin do thabhairt 'na mnaoi do Dhiarmaid,
7 ar na heachtaibh sin do sgarsad go síodhach ré chéile, acht
65 amháin gur gheall Diarmaid do Ruaidhrí gan ní budh mó dona
Gallaibh do thabhairt i nÉirinn.

Agus go grod dá éis sin táinig Muiris mhac Gearailt i dtús an
tsamhraidh go hÉirinn, do réir an gheallaimh tug do Mhac Mur-
chadha, 7 fós do chionn na cumha do gheall Mac Murchadha dhó
70 féin 7 do Roibeard mhac Stiabhna an foghmhar roimhe sin, tré
theacht do chongnamh leis i nÉirinn do bhuain a chríche féin
amach. Agus is é líon sluaigh tháinig Muiris i nÉirinn an tan soin,
deichneabhar ridireadh, tríochad sguibhéir, 7 eéad troightheach,
7 is é ionad ar ghabhadar cuan, ag Loch Garman.

75 Arna chlos do Mhac Murchadha 7 do Roibeard mhac Stiabhna
Muiris do thoidheacht i nÉirinn, do-chuadar 'na choinne go Loch
Garman, 7 is ann sin do chuimhnigh Mac Murchadha ar gach
aindlighe dá ndearnsad lucht Átha Cliath air féin, 7 ar a athair
roimhe. Uime sin do thionóil Mac Murchadha an sluagh soin ré
80 dol d'argain Átha Cliath, 7 do fhágaibh Roibeard mhac Stiabhna
ag tógbháil chaisléin san ionadh darab ainm an Charraig anois .i.
dá mhíle ó Loch Garman amach, 7 triallais Mac Murchadha 7
Muiris mhac Gearailt 7 urmhór na nGall soin mar aon riú go Fine
Ghall, gur hairgeadh 7 gur loisgeadh an chríoch soin leó.

85 Arna chlos iomorra do bhuirgéisibh Átha Cliath gur hairgeadh
7 gur creachadh an chríoch 'na dtimcheall, do-chuadar i gcomhairle
eatorra féin, 7 is é ní ar ar cinneadh leó, seóide iomdha 7 tiodhlaicthe
troma d'ór 7 d'airgead do chor go Mac Murchadha, do chionn
síodha 7 réittigh d'fhaghail uaidh, 7 do chuireadar bráighde
90 chuige mar aon ris an ionnmhas soin, tar múraibh an bhaile amach,
7 do ghealladar go dtiobhradaois gach ceart 7 gach dualgas dá
raibhe ag Mac Murchadha orra roimhe sin dó.

Ó'd-chonnairc Mac Murchadha iomorra gach ní dár chuir roimhe
ag teacht leis, do smuain 'na mheanmain aige féin go raibhe
ríoghdhacht Éireann agá shinsearaibh roimhe .i. Cathaoir Mór, 95
Conchubhar Abhrad-ruadh, Labhraidh Loingseach, Laoghaire Lorc,
7 Úghaine Mór, 7 gach rí oile dár ghabh flaitheas Éireann
díobh roimhe, 7 adubhairt nárbh fhearr neart ná cumas gach
ríogh oile dhíobh sin ar Éirinn do chosnamh, ioná a neart féin.
Uime sin beiris Mac Murchadha Muiris mhac Gearailt 7 Roibeard 100
mhac Stiabhna i bhfód fá leith ris, gur léig a rún riú fán gcúis sin,
7 do iarr comhairle orra, créad budh indéanta dhó. Do fhreagair-
sead i n-aoin-fheacht é, 7 is eadh adubhradar, gomadh urusa dhó
an ní sin do chríochnughadh dámadh áil leis teachta do chor uaidh
ar ceann tuillidh daoine go Sagsaibh. Thairis sin do ráidh Mac 105
Murchadha riú-san teachta do chor uatha féin ar ceann a ngaoil
7 a gcoimhfhialasa, 7 adubhairt go dtiubhradh a inghean féin 'na
mnaoi do Mhuiris mhac Gearailt nó do Roibeard mhac Stiabhna.
Gidh eadh, níor fhaomh ceachtar dhíobh an inghean do ghlacadh,
óir do chuimhnigh Muiris mhac Gearailt 7 Roibeard mhac Stiabhna 110
gur gheall Mac Murchadha an inghean soin d'iarla ó Stranguell,
7 ríoghdhacht Laighean lé, do chionn a neirt do thabhairt leis
ré buain a dhúithche amach dhó, 7 do iarr Muiris 7 Roibeard
ar Mhac Murchadha leitre do chor gusan iarla, 'gá iarraidh air
teacht do réir an gheallaimh tug dhó i Sagsaibh—Agus foillsigh 115
dhó, ar siad, go bhfuile féin i mbun do gheallaimh do chomhall
dó-san, maille rét inghin féin do thabhairt 'na mnaoi dhó, 7 ríogh-
dhacht Laighean ód lá féin amach.

Curthar teachta 7 leitreacha lé Mac Murchadha go hiarla ó
Stranguell ar an gcúis sin, 7 ar rochtain dona teachtaibh 'na 120
láthair, 7 ar léaghadh na leitreach dhó, 7 fós ar gclos an neirt do
ghabh Mac Murchadha 7 Roibeard mhac Stiabhna 7 Muiris mhac
Gearailt i nÉirinn, triallais féin go hairm i raibhe rí Sagsan,
7 do iarr cead air teacht do dhéanamh gabháltais, cibé háit i
sainnteóchadh dol. Gidh éadh, an tan do thuig an rí meanma 125
7 intinn an iarla, ní thug aonta iomlán dó, 7 ní mó do thug éara

air. Acht cheana do ghluais an t-iarla leis an gcead fuair, 7 do
ghabh agá ollmhughadh féin, 7 ag ollmhughadh a mhuintire ré
teacht i nÉirinn dóibh, 7 sul ráinig ris féin bheith ollamh ré teacht
130 san turus soin, do chuir Réamann *le Grás,* mac Uilliam mhic
Gearailt, dearbhráthair budh sine ioná Muiris mhac Gearailt, go
sluagh-bhuidhin leis roimhe féin i nÉirinn, 7 ar rochtain na críche
dhó is é áit ar ghabh sé cuan, ag Dún Domhnaill, cheithre mhíle
ó Phort Láirge budh dheas, 7 do réir Chroinic *Stanihurst* fá hí
135 nuimhir a mhuintire deichneabhar ridireadh, 7 trí fichid troigh-
theach, 7 ar dtoidheacht i dtír dóibh do thógbhadar port daingean
cloch 7 criadh san ionad soin.

Ar rochtain iomorra sgéal go Port Láirge 7 go Maoil-Seachlainn
Ó bhFaoláin, rí na nDéise, go dtángadar na Gaill sin i gcomhfhogus
140 dóibh, do ghabh gráin 7 eagla iad uile rompa, 7 do-chuadar go
haon-láthair do chinneadh chomhairle fán gcúis sin, 7 dob í críoch
a gcomhairle, na deóraidh d'ionnsaighe gusan longphort i rabhadar
7 a marbhadh 7 a míochórughadh.

Dá éis sin tángadar go haon-láthair, 7 dobudh é a líon trí mhíle
145 fear ag dol d'ionnsaighidh na nGall soin. Arna bhfaigsin do Réa-
mann chuige, do-chuaidh amach go mear míchéillidhe, leis an
mbeagán buidhne do bhí aige, i gcomhdháil an trom-shluaigh sin,
do thabhairt troda 7 teagmhála dhóibh. An tan iomorra at-
chonnairc Réamann nach raibhe ionbhuailte riú, do-chuaidh ar
150 gcúlaibh gusan gcaisléan do thógaibh sé féin. Ó'd-chonncadar na
Gaoidhil na Gaill ag iompódh, do leanadar go dian dásachtach iad
gusan gcaisléan. Gidh eadh, an tan do mheas Réamann *Delagros*
a easgcairde 'na dhiaidh go dána, do iompuidh orra, 7 tug ár do-
fhaisnéise ar an dtrom-shluagh soin na nGaoidheal, ionnus, i
155 n-éagmais ar mharbh sé díobh, gur loiteadh 7 gur créachtnuigheadh
chúig céad díobh ré halt na haon-uaire.

Ar dteacht iomorra na Féile Parthalóin san bhfoghmhar 'na
dhiaidh sin, *Anno Domini* 1170, táinig iarla ó Stranguell i nÉirinn,
7 dob é líon a shluaigh ag teacht dó .i. dá chéad ridire, 7 míle do
160 sguibhéaraibh, 7 do lucht bogha, 7 dá gach ndruing ré gaisgeadh,

7 is é ionad ar ghabhadar cuan, i bPort Láirge. Arna chlos iomorra
ar feadh na críche go dtáinig iarla ó Stranguell i nÉirinn, táinig
Mac Murchadha go maithibh Laighean, 7 Roibeard mhac Stiabhna,
7 Muiris mhac Gearailt, 7 Réamann *Delagros* i gcoinne 7 i gcomh-
dháil an iarla go lúthgháireach láin-mheanmnach, 7 arna mhárach 165
do-chuadar d'aoin-mhéin do ghabháil Phuirt Láirge. Agus an tan
rángadar gusan mbaile tugadar a n-aighthe i n-aoin-fheacht air,
dá bhuain amach, 7 dá chor ar a gcumas féin. Agus tar gach olc
7 gach imshníomh dá bhfuaradar muintear an bhaile dá gcoimhéad
féin 7 dá gcosnamh, do lingeadh orra tar múraibh an bhaile, 7 do 170
mharbhsad gach a dtarla riú do lucht an bhaile, 7 do gabhadh
Maoil-Seachlainn Ó Faoláin, rí na nDéise, leó, 7 is tré impidhe
Mheic Murchadha tugadh a anam dhó.

Tug cheana Mac Murchadha a inghean leis i gcoinne an iarla an
tráth soin—Aoife a hainn—7 do pósadh ris í. Agus ar ndaing- 175
niughadh 7 ar gcríochnughadh an chleamhnais sin dóibh dá gach
leith, fágbhais an t-iarla bharda láidir i bPort Láirge, 7 triallais
féin 7 a shluagh d'ionnsaighe Átha Cliath don chur soin. Agus
ní raibhe ar domhan duine budh lugha ar lucht Átha Cliath ioná
Mac Murchadha 7 na Gaill sin d'fhaigsin chuca, 7 do bhí Mac 180
Murchadha lán d'fhíoch 7 d'fhaltanas dóibh-sean mar an gcéadna.
Óir is iad do mharbh a athair, 7 do adhlaiceadar go heasonórach
anuasal é, maille ré madradh marbh do chor i n-aon-uaigh ris mar
aithis dó. Ar bhfaigsin na nGall soin 7 neirt Laighean go líonmhar
ag teacht orra, gabhais uamhan 7 imeagla lucht Átha Cliath, 185
7 cuirid teachta uatha gusan iarla d'iarraidh síodha 7 réittigh air
.i. Labhrás Ó Tuathail, aird-easbog Átha Cliath, 7 geallais an
t-aird-easbog don iarla cumha 7 bráighde ó lucht Átha Cliath do
chionn síodha 7 anacail d'fhaghháil dóibh.

An tan iomorra do bhí an réitteach agá dhéanamh eatorra, do 190
bhí Réamann *Delagros* 7 *Miles Gogan*, 7 drong do ridiribh óga mar
aon riú, don taoibh oile don bhaile, 7 fuaradar árach ar bhallaidhibh
an bhaile, gur briseadh 7 gur raobadh leó iad, 7 lingid féin san
mbaile 7 marbhaid gach aon ar a rugadar ann. Acht cheana ar

195 ngabháil Átha Cliath mar sin, is gearr an comhnaidhe do-rónsad
ann, 7 fágbhais an t-iarla *Miles Gogan* 7 drong-bhuidhean mar
aon ris ag coimhéad an bhaile.

Do bhí iomorra faltanas 7 miosgais idir Ó Ruairc, rí Bréifne,
7 Mac Murchadha, 7 rug Mac Murchadha mór-shluagh leis do
200 Ghallaibh 7 do Ghaoidhealaibh don Bhréifne, gur creachadh 7 gur
loisgeadh an chríoch sin leó, 7 gur ghabhsad neart ro-mhór ar
Ó Ruairc, 7 ar gach aon dá dtarla riú i nÉirinn.

Ó'd-chonnairc Ruaidhrí mhac Toirdhealbhaigh Uí Chonchubhair,
rí Connacht 7 urmhóir Éireann, gur bhris Mac Murchadha ar an
205 síoth do bhí eatorra roimhe sin, cuiris Ruaidhrí teachta chuige do
thabhairt aithbhir air, tré neamhchomhall na síothchána do bhí
eatorra, 7 tré mar thug na Gaill sin leis gan chead gan chomhairle
do Ruaidhrí. Agus ar rochtain dona teachtaibh do láthair Mheic
Mhurchadha, is eadh adubhradar:—

210 Anois thuigmíd, ar siad, nach fuil cion ná cádhas agat ar do
mhionnaibh, ná ar do mhac thugais i ngeall ré comhall síodha uait,
7 adubhairt rí Connacht .i. Ruaidhrí Ó Conchubhair riot, muna
gcuiridh tú na deóraidh se agat uait, go gcuirfidh sé ceann do
mheic chugat, 7 nach géabhaidh gan tú féin do chor arís i Sagsaibh
215 ar athchor 7 ar ionnarbadh.

Do ráidh Mac Murchadha nach cuirfeadh a dheóraidh uaidh ar
chomhairle Ruaidhrí, 7 adubhairt go dtiobhradh tuilleadh deóradh
leis 'na gceann, 7 nach diongnadh síoth ná síothcháin lé haoin-
neach do Ghaoidhealaibh go beith d'Éirinn uile aige. Tángadar
220 na teachta tar a n-ais go Ruaidhrí, 7 nochtaid dó freagra Mheic
Murchadha orra. Ó'd-chualaidh Ruaidhrí aitheasg Mheic Murch-
adha, gabhais fearg adhbhal-mhór é.

Thairis sin iomorra do leath clú 7 oirdhearcas na nGall soin fá
Éirinn uile, ionnus gur ghabh gráin 7 eagla fir Éireann rompa.
225 Rángadar trá sgéala ón iarla 7 óna Gallaibh sin i Sagsaibh, 7 an
tan at-chlos do rígh Sagsan na sgéala soin, tug fuagra gan long ná
bárc do dhol a haon-talamh dár bhean ris féin go hÉirinn, 7 gan
trácht ná ceannaigheacht do dhol innte. Agus tug mar an gcéadna

fuagra do gach aon dá dtáinig ó Shagsaibh i nÉirinn dol tar a n-ais
arís fá phéin a n-oighreachta do bhuain díobh go bráth. 230

An tan ad-chonnairc an t-iarla gurbh éigean dá mhuintir im-
theacht uaidh lé fógra an ríogh, uime sin do-chuaidh an t-iarla
7 a mhuintear do dhéanamh comhairle eatorra féin fán gcúis sin,
7 is eadh do-connarcas dóibh, Réamann *Delagros* do chor go rígh
Sagsan agá fhoillsiughadh dhó gur dá thoil-sean 7 dá aonta táinig 235
an t-iarla 7 na Gaill sin i nÉirinn, do neartughadh leis an tí do
gheall umhla 7 ógláchas do dhéanamh dhó-san .i. Diarmaid Mhac
Murchadha, rí Laighean, 7 gibé gabháltas do-rinneadar i nÉirinn,
gurab dá thoil-sean budh mian leó a chongbháil. Téid Réamann
leis an aitheasg soin go rígh Sagsan, 7 is é ionadh i raibhe an tan 240
soin san Ghasgúinn. Agus san bhliadhain sin do marbhadh Tomás
aird-easbog *Canterburie*, an cúigeadh lá don Nodlaig, 7 fá hí aois
an Tighearna an tan soin 1171. Agus is i mBealltaine na bliadhna
soin fuair Mac Murchadha .i. Diarmaid, rí Laighean, bás, 7 do
hadhnaiceadh i bhFearna Mhóir Mhaodhóg é. 245

Dála an ríogh, táinig go Sagsaibh, 7 ar rochtain ann sin dó,
do chuir ridire dá mhuintir darbh ainm *Herimont Morti* go lei-
treachaibh leis go hiarla ó Stranguell i nÉirinn mar aon ré Réamann
Delagros, dá fhógra don iarla dol i Sagsaibh gan chairde. Agus
ar dtoidheacht i nÉirinn dóibh, nochtais *Herimont* a thoisg don 250
iarla, 7 triallais an t-iarla do láthair mar aon ré *Herimont* i Sagsaibh,
7 ar rochtain do láthair an ríogh dhó, do gheall go dtiobhradh Áth
Cliath, 7 Port Láirge 7 bailte cuan Laighean dó, 7 dá oighreadhaibh
dá éis, 7 an chuid oile do Chóigeadh Laighean do bheith ag an
iarla féin 7 agá shliocht. 255

I ndiaidh iomorra an chonnartha soin do cheangal eatorra,
triallais an rí go sluagh líonmhar maille ris i nÉirinn, gur ghabh
cuan ag Port Láirge. Chúig céad ridire tháinig lais mar aon ré
hiomad marc-shluaigh 7 troightheach. Aois an Tighearna an tan
soin 1172. Ro an iomorra an rí seal i bPort Láirge 'na dhiaidh 260
sin, go dtángadar uaisle na nGall do bhí roimhe i nÉirinn, 7 buir-
géisigh Locha Garman, do thabhairt umhla 7 onóra dhó.

Táinig fós rí Corcaighe .i. Diarmaid Mór Mhág Carthaigh, 'na láthair, 7 do gheall umhla 7 óglachas do dhéanamh dhó. Táinig
265 an rí as sin go Caiseal, 7 táinig Domhnall Ó Briain, rí Luimnigh, 'na choinne ann, 7 tug umhla dhó amhail tug Mág Carthaigh. Dá éis sin do chuir rí Sagsan coimhéad uaidh féin ar Chorcaigh 7 ar Luimneach. Tángadar maithe Mumhan chuige iar sin, 7 tugsad umhla 7 onóir dhó mar an gcéadna. Do-chuaidh an rí tar a ais go
270 Port Láirge, 7 táinig rí Osraighe chuige ann sin 7 tug umhla 7 onóir dhó amhail tugsad na rígh roimhe sin. Triallais an rí as sin go hÁth Cliath, go dtángadar Gaoidhil Laighean chuige ann sin, do thabhairt umhla 7 onóra dhó.

An tan iomorra ad-chualaidh Ruaidhrí Ó Conchubhair, rí
275 Éireann, a chóigeadhaigh 7 an lucht cíosa 7 cánachais do bhí aige, 7 an lucht dá dtug féin tuilleamh 7 tuarastal, do dhol ar sgáth ríogh Sagsan, do mheas 'na mheanmain féin gomadh lugha do mhasla dhó umhla do thabhairt dá dheóin ioná dhá aimhdheóin uaidh.

280   Is ann sin do chuir an rí dias dá mhuintir i gcoinne Ruaidhrí Uí Chonchubhair, 7 is iad do-chuaidh ann *Hugo Delacy* 7 Uilliam mhac *Aldelmel*. Táinig Ruaidhrí 'na gcoinne go bruach na Sionna, go ndearnaidh síoth 7 cairdeas ris an rígh 'na láthair sin, 7 do gheall umhla 7 onóir do thabhairt dó. Táinig fós Murchadh mhac
285 Floinn, rí Midhe, chuige, 7 tug é féin dó, amhail do-rónsad cách oile. Ionnus nach raibhe rí ná taoiseach ná tighearna i nÉirinn nach tug umhla 7 tighearnas orra féin do rígh Sagsan an tan soin.

Ar dteacht an gheimhridh chuca iar sin, do líon an aimsear d'fhuacht 7 do dhoininn ro-ghránna, ionnus nach raibhe ar breith
290 do luing ná do bháirc teacht ré sgéalaibh na Sagsan i nÉirinn gusan rígh, nó go dtáinig an mhí mheadhónach don earrach chuca. Dá éis sin tángadar longa i nÉirinn, 7 tugadar sgéala gusan rígh ó Shagsain 7 ón bhFraingc nachar mhaith ris, 7 tar gach ní nochtaid dó gur chuir an Pápa dias cairdionál go Sagsaibh do lorgaireacht
295 an bháis do himreadh ar San Thomás ó *Canterburie*, 7 muna ndeachadh an rí 'na phearsain féin do thabhairt shásuighthe

dhóibh san marbhadh soin, is eadh adubhradar, go gcuirfidís
coinneal-bháthadh air, 7 ar gach talamh dá ngabhadh leis. Gér
dhoiligh ris an rígh na sgéala soin, dobudh doilghe ioná soin dó
na sgéala táinig óna mhac chuige 'na dhiaidh sin, mar atá an mac 300
robudh sine aige do dhol i seilbh choróine na Sagsan i ndóigh go
n-anfadh aige d'aimhdheóin a athar. Do fhás doilgheas do-fhais-
néise ar an rígh trésna sgéalaibh sin. Gidh eadh, is mó do chuir
air an bás do himreadh ar San Thomás ioná gach ní dá ndearnsad
a chlann 7 a dhaoine air. Uime sin cuiris cruinniughadh ar mhai- 305
thibh a mhuintire chuige do dhéanamh comhairle riú, 7 nochtais
dóibh gach conntabhairt dá raibhe 'na chionn féin, 7 is í comhairle
ar ar chinnsead, drong mhór dá mhuintir do chor roimhe go Sagsaibh,
7 é féin do dhol 'na ndiaidh go grod. Do-rinneadh amhlaidh sin
leó, 7 do an an rí, ag cor choimhéada 7 chosanta ar Éirinn. 310

An tan thrá robudh mithidh ris an rígh dul i Sagsaibh, ro fhágaibh
dronga ag coimhéad na críche, mar atá *Hugo de Lacy* san Midhe 7
fiche ridire mar aon ris, 7 fós do bhronn bith-díleas na Midhe do
Hugo 7 dá shliocht 'na dhiaidh. Do fhágaibh fós coimhéad Bhaile
Átha Cliath ar Roibeard mhac Stiabhna 7 ar Mhuiris mhac Gearailt 315
7 fiche ridire mar aon riú gona bhfuirinn. Do fhágaibh mar an
gcéadna i Loch Garman Uilliam mhac *Aldelmel* 7 *Philip de Hastings*
7 *Philip de Brus*, 7 fiche ridire mar aon riú ag coimhéad an bhaile.
Do fhágaibh mar an gcéadna i bPort Láirge *Humfrie Bolum* 7
Hugo de Gundeuil 7 Roibeard mhac Bearnaird 7 dá fhichid ridire 320
mar aon riú. Triallais an rí iar sin i Sagsaibh 7 iar rochtain do
láthair na gcairdionál dó, adubhairt go dtiobhradh a dtoil féin
dóibh i n-éiric mharbhtha S. Thomas, gion go raibhe rún a bhás-
uighthe aige féin, 7 tré réidheachadh idir é féin 7 rí Frangc ré
raibhe i n-imreasan. 325

NOTES

1. LABHRAIDH LOINGSEACH HAS HORSE'S EARS

1. *Labhraidh Loingseach*, according to the legend = 'the exile speaks.' His former name was Maon, 'dumb,' and he had been dumb in his youth.

2. The compendium 7 was used in Roman shorthand for *et*, 'and.' In Irish it represents the corresponding *agus*; the synonym *is* is usually written out by good scribes.

uime sin, lit. 'about that' = 'for that reason.'

3. *do mharbhadh*, 'he would kill, used to kill.' The subjective pronouns *sé, sí, siad* are rarely used except in the phrase *ar sé, ar sí, ar siad*.

4. *iomorra*, 'now, indeed, but, however, moreover,' never begins a clause. When it occurs in verse the metre shows that it was stressed on the second syllable. It is sometimes written *amorra*, but the MSS. generally have *.im̄.* or the Latin compendium for *vero*.

5. *gacha*, gen. sg. f. of *gach*. For the idiom cf. 7, 23. The gen. of time is an extension of cases like *ld gacha seachtmhaine*, 24, 4, where the gen. is governed by another noun.

mar atá, 'namely.'

9. *acht cheana*, a connecting phrase, 'however, moreover, now,' more emphatic than the simple *acht*. *cheana* is often used to enforce the preceding word; cf. 3, 5; 22, 9; 25, 128.

tuitis, 'fell.' For these forms see Introduction, p. xxii.

12. *agd iarraidh*, lit. 'at its asking, asking it,' where the possessive anticipates the following clause *gan . . . bhdsughadh*. Cf. 2, 45, &c.

13. *7 i taoibh ris do shliocht*, 'since she had no other child.' *taoibh ris*, 'depending on him, confined to him, in the matter of offspring.' Cf. 19, 42; 30, 78.

14. *dd*, 'if,' always takes subjunctive.

15. *neoch*, dat. sg. of *neach*, 'some one, any one'; cf. 8, 46; 27, 9, 50.

17. *gabhaidh greim de*, 'takes hold of, has effect on'; cf. 2, 83.

20. *nach biadh*: Keating does not eclipse after *nach*. The eclipsis in some modern dialects is due to the influence of the affirmative *go mbiadh*.

go nochtadh, past subj., 'till he should reveal.'

22. *comhgar*, here 'meeting-place.'

23. *an céad-chrann do theigéamhadh dhó*, 'the first tree he should come to.' *teagmhaidh* was originally an impersonal vb., 'it brings into a state or condition'; hence *dd dteagmhadh ann é*, 'if he happened to be there'; *tarla* served as pf., *tarla ann é*; cf. the following line.

dh', note that the *d* of *do* (= *do* and *de*) is frequently lenited when the preceding word ends in a vowel sound; cf. 9, 8; 16, 11; 24, 2; 25, 44; similarly *dhá*, 2, 99; 7, 28; 23, 108; 31, 287. The next stage is to drop the *d* altogether, as is often done in the spoken language.

agallmha, the gen. of *agallamh*, here used as dat. (but *agallaimh*, 2, 33); cf. 26, 109, and *comhagallmha* as nom. or acc. 5, 51.

24. *léigeadh*, older form of vn., cf. 12, 7, 43, 60; so *teilgeadh*, 11, 30, and *tréigeadh*, 8, 70; but the forms in *-ean* are also common in the MSS. Cf. *léigean*, 27, 27, 56; *tréigean*, 8, 61.

25. *sgéidhis*, &c., 'he ejected the oppressive burden of his sickness.'

31. *eiste*, older form of *aiste*, *aisti*.

32. *is eadh do saoilti*: the old neuter *eadh* is found in such phrases with reference to a following clause, where present-day usage substitutes the masc. *é*. Cf. 15, 17; 25, 122. Cf. *ní headh amhdin*, 23, 55.

ris gach n-aon: *ris* here = *leis*. *ré gach n-aon* would also be correct; cf. *is gach*, 5, 47; *leis gach*, 15, 36; 23, 93; the *s* is due to the analogy of the forms with the art., *ris an*, *leis an*, *san* (= *isan*), *as an*. *gach* is acc. after *ré*, hence the eclipsis of *aon*.

dá gcluineadh: *dá* = *de a*; ' (every one) that heard,' lit. ' of those that heard.' *gach* with the antecedent generally takes the partitive *de* before the relative clause; cf. 7, 21; 12, 67.

34. *.i.* a Latin abbreviation for *id est*, read in Irish as *eadhón*, O.Ir. *ed ón*, 'that is it'; sometimes it is a variant of *mar atá* in MSS.

35. *gach a mhionca*, 'as often as.' *mionca*, now *minicidhe*, is the abstract noun of *meinic*. The proleptic *a* comes from phrases such as *dá mhionca*, 'however often,' 7 *a mhionca*, 19, 42, and *ar a mhionca*, 23, 213. It cannot be *gacha mhionca*, for the gen. *gacha* does not aspirate.

37. *trénar básuigheadh*, &c., lit. ' through what had been put to death of men by him ' = ' at the number of people he had put to death.'

38. *ós aird*, 'openly '; cf. *ós íseal*, 'secretly,' 5, 30.

39. *ó shin amach*, 'from that (time) forward '; *ó shin*, *ó shoin* (14, 28), *ó sin* (23, 151, 225), and *ó soin*, are all found in the literature; the last two have now been confused with *as sin*.

2. THE SLAYING OF THE CHILDREN OF UISNEACH

5. *Uisneach*, used as gen. also in lines 30, 45, 47, &c., but *Uisnigh*, 58 and 81. An older form is *Uisleann*, O.Ir. *Uislenn*, gen. of *Uisliu*. The form *Uisneach* seems due to confusion with the name of the hill in Westmeath.

6. *Con-Loingeas*, older *Conn Loingeas*, 'head of the bands of exiles,' but the main stress being on the second word, *Conn* was reduced and lost its declension. Cf. *Meis-Geaghra*, 3, 7; *Maoil-Seachlainn*, 27, 3, and *Dearbhorgaill*, 30, 8.

Daol Uladh, 'beetle or chafer of the Ultonians,' i.e. 'object of loathing.'

7. *éirim na heachtra*, 'the substance of the tale.' Cf. 18, 26.

8. *lá n-aon*, 'one day.' The eclipsing *n* is the old ending of the neut. *lá*; cf. *buaidh gcatha*, 19, 25.

dá ndeachaidh. lit. 'of those (on which) he went.' Cf. 18, 3.

10. Note the idiomatic use of *agus* in clauses of this type, *lá n-aon* . . . *7 rug*; *go* is also used, 4, 3; 10, 20; they may be omitted in translation.

12. *dochar*, 'injury,' from *do-cor*; cf. *sochar*, 12, 6.

16. *go raibhe*, pres. subj., 'so that she may be.'

19. *lamhadh*, note that the first *a* is short in pres. and ipf.

20. *buimeach*, 'foster-mother,' usually *buime*, for earlier *muime*; cf. 10, 17.

21. *ionnuachair*, 'marriageable,' lit. 'fit for a mate (*nuachar*).' Cf. *ionchathuighthe*, 'able to fight,' 7, 19; *ionchomhlainn*, 27, 41; *ionbhuailte*, 27, 100; *ionchomhraig*, 27, 58.

30. *fior*, dat. sg. of *fear*. Cf. *cionn* from *ceann*, *gioll* from *geall*.

ré ráittear, 'to whom is said,' i.e. 'who is called'; *ré* = *ré*+rel. *a*; *ráittear*, pres. ind. pass. of *ráidhim*.

mhac, in the unaccented position between proper names the initial of *mac* is regularly aspirated.

32. *más eadh*, 'then,' lit. 'if it is so,' O.Ir. *massu ed*; *más* (never *má is) is a shorter form of *mása*, cf. 16, 30. *más eadh* is quite distinct in sound and meaning from the colloquial exclamation *mhuise* or *muise*, which is a disguised form of *a Mhuire*.

33. *gan fhios*, 'in secret,' now *i ganfhios*. Cf. 23, 90.

35. *cuiris i suim*, 'she made known.'

39. *congbháil bhuannachta*, 'maintenance of quarterage.' Cf. 15, 65. *buannacht*, Anglicized 'bonaght,' from *buanna*, 'a billeted soldier.'

41. *gona* = *go n-* 'with' + the poss. *a*; cf. l. 54.

44. *dá*, a common form of the prep. *do* or *de* when followed by *gach* or *bhar*; cf. l. 70; 7, 21; 29, 13; 31, 160; but *do gach* is used in 1, 8; 7, 14; 15, 27, &c.

48. *fios do chor ar*, 'to send for'; also *fios do chor i gcoinne*, 12, 2; *i nddil*, 11, 24; 12, 38; 16, 44; *ar ceann*, 12, 47.

49. *don tír*, 'to the land,' 'home.' For *do* expressing motion cf. 10, 5, 9, 25.

54. *a bheag*, often *a bheag ná a mhór*, 'little or much of it,' = 'anything (at all).' Cf. 5, 69; 12, 18; 27, 75.

59. *d'fháiltiughadh ré*, 'to welcome.' *do* with the vn. often expresses purpose.

66. *d'ionnsaighe*, 'to.' The older spelling is *d'ionnsaighidh*, 15, 72. So *athchuinghe*, 19, 10; *Cinnéide* and *Cinnéidigh*, &c.

68. *tri chéad*, O.Ir. *tri chét*; in O.Ir. the neut. *tri* aspirated, and *cét* was one of several neuters whose nom. pl. had taken the same form as the sg. Cf. *tri thráth*, 19, 26. In Mid.Ir. many masc. and fem. nouns joined this class owing to the confusion of final short vowels, hence by analogy we have *tri mhile*, line 72, for the old *teóra mili* (fem.), and *tri Cholla*, 15, 7, for *Colla* represents both the old sg. *Conle* and the pl. *Conli*. The tendency to use the asp. sg. with numerals is helped by the fact that the dual, aspirated after masc. *dá*, has in most nouns the same form as the sg. So in the spoken language *tri chapall* beside *tri capaill*, *tri dhuine dhéag*, &c.

76. *dá dtáinig*, 'from which came.' Cf. 4, 11.

81. *gémadh beag*, 'though it were a small thing.'

86. *ó nach fuair féin*, 'since he himself was unable.'

88. *ar cúlaibh*, 'behind.' Cf. 30, 20; *ar chúlaibh*, 8, 38.

91. *is mó dá dtug fuath*, 'whom she hated more.'

93. *fá seach*, 'in turn.' Cf. 26, 12.

100. *gonadh amhlaidh sin*, 'so that is how.' *gonadh* was the old ind. form, *gurab* being subj.

3. THE DEATH OF CONCHUBHAR

2. *ré mbeith . . . dhóibh*, 'that they might be.'

mir curadh or *curaidh-mhir*, 'champion's bit,' 'champion's portion.'

3. *buadh*, gen. pl., unless it stands for gen. sg. *buadha*, *buaidhe*; cf. line 17.

4. *feidhm aoinfhir*, 'single combat.'

láithreach, gen. of *láthair*.

5. *comhrag*, now *comhrac*.

imreasan, now *imreas* or *imreasán*.

7. *Meis-Geaghra*, Mid.Ir. *Mes Gegra*, probably from *meas*, 'fosterling.' Cf. 2, 6, note.

10. *do léig . . . dá gcoimmeas ré*, 'gave up comparing themselves with, vying with.' *coimmeas* from *comh-meas*, the *mh* being assimilated as in the next line. Note that when a vb. has two subjects, both singular, the vb. itself is singular; cf. 8, 39.

11. *a chommór sin do ghníomh*, 'so great a deed as that.'

13. *gidh bé*, also written *gibé*, *cidh bé*, and *cibé*. *bé* is the old pres. subj. 3 sg. of *atá*; lit. 'whoever may be.'

16. *aonaighibh*, dat. pl. of *aonach*, 'assembly.'

18. *méad*, m., and *méid*, f., are both used. Cf. 10, 25; 12, 39.

19. *gadaim* is the old pres., but cf. *goidfeadh*, 5, 73.

21. *Craobh-ruadh*, 'Branch-red' or 'Red-branched,' is the correct form; gen. *Craobh-ruaidhe*, 5, 2 (not *Craoibhe Ruaidhe*).

34. *onchú*, variously rendered 'wolf, wolf-dog, otter, leopard,' may

be the name of some fabulous animal. It is common in the metaphorical sense of 'champion,' and also in that of 'banner.' It occurs again in 4, 11, where the Mid.Ir. version has *árchoin*, 'slaughter-hounds.'

39. *do bhí i dtairngire*, &c., 'it had been foretold that M. would avenge himself.'

46. *don leith anoir . . . don leith aniar*, 'eastward . . . westward.'

50. *dá bhféachain féin*, 'to see them.'

52. *é féin*, 'him (in person),' i.e. Conchubhar.

58. *do-ní . . . d'inneall*, 'he fits, arranges.' For *do-ní* as auxiliary cf. 16, 22.

70. *ainnséin*, cf. 15, 14, not distinguished in meaning from *ann sin*, but the classical poetry shows that it was stressed on the first syllable.

72. *gluasacht*, now *gluaiseacht*.

75. *drong ré seanchas*, 'historians.'

80. *agá bhásughadh*, lit. 'at his slaying,' here 'being put to death.' The words might also mean 'slaying him,' for only the context can show whether 'his' refers to the subject of the sentence or not. The substitution of *do* for *ag* begins in the O.Ir. period. In Keating the forms are used indiscriminately. Cf. *dá adhradh* 'worshipping it,' 13, 10; *'gá dtuargain* 'being smitten,' 25, 139. Some modern writers recommend *ghá dhéanamh* 'doing it,' and *dhá dhéanamh* 'being done,' a distinction which appeals to the eye, though not to the ear; but this distinction is not supported by the history of the language.

84. *fá dhoire choille*, 'into an oak-wood'; cf. *muine choille*, 90. For *fá* 'into' cf. *fán gcath*, 8, 51; *fá choill*, 12, 13; *fán mbaile*, 24, 4.

85. *gabhaim ag*, 'I set to, begin'; cf. l. 109; 18, 5; 22, 8; 27, 52.

86. *gurab é sin díol do-bhéaradh orra*, 'that that was the fate he would inflict on them.' Distinguish between *do-bhéaradh*, neg. *ní thiobhradh*, from *do-bheirim*, and *do bhéaradh* (l. 92), neg. *ní bhéaradh*, from *beirim*.

94. *i ndóigh*, &c., 'hoping that the kingdom would fall to himself.'

99. *ard*, comp. *airde*; the *a* is short in the classical language. It is now lengthened in most dialects by the group *rd*. Cf. *bord, ceard, tarla*.

110. *i riocht*, lit. 'in the form of,' i.e. 'by mistake for,' 'instead of'; cf. 4, 35, 37.

111. *do chuirfeadh i n-iongantas*, 'should wonder.' Cf. 22, 18.

4. THE SLAYING OF CEAT AND BÉALCHÚ

1. *biodhbha*, as fem. also in 31, 29.

6. *cur fá greim*, 'overtake.'

10. *i gcrothaibh báis*, 'at the point of death.'

18. *muirbhfead*, fut. 1 sg. of *marbhaim*.

    geall ré, 'almost.'

19. *gidh eadh*, 'however,' lit. 'though it be so'; cf. *más eadh*.

21. *díoghaltar*, pres. subj. pass. of *díoghlaim*.

23. *cuiris iomchar faoi*, 'he caused him to be lifted up.'

24. *go beith*, &c., 'until his wounds are healed.'

28. *fuair dóigh*, &c., 'suspected the plotting of that treachery'; *cogar = com-cor*, 'a putting together,' hence 'conference,' 'conspiracy,' 'whisper.' Welsh *cynghor* 'counsel.' Cf. 26, 26; 27, 73.

29. *bara*, 'inclination,' 'expectation,' hence 'the night that the sons were to come.' For the proleptic *a* cf. 1, 12.

38. *a dtriúr*, lit. 'in their trio'; *triúr* (also used as nom., l. 27) is dat. of *triar*. In the older language the dat. without prep. was used in this idiom; cf. 21, 11, and 26, 128.

39. *dá gcommaoidheamh*, 'in triumph.'

41. *go ró so = go dtí so*. *ró* is the old pres. subj. 3 sg. of *roichim*, 'I reach,' just as *tí* is pres. subj. 3 sg. of *tigim*. Cf. 27, 136.

5. THE DEATH OF CÚ RAOI

3. *iol-mhaoineadh*, gen. pl. 'many kinds of wealth.' Cf. 25, 58.

9. *Forbhais bhFear bhFálgha*, 'the Siege of the Men of Falgha,' is the title of a lost saga. According to some Mid.Ir. commentators Fir Fálgha = Fir Mhanann; cf. l. 3; a gloss in the Book of Leinster places them in the Hebrides. *Fálgha* is eclipsed by the preceding gen. pl.; there is no phonetic reason for the eclipsis of *Fear*, which is the result of analogy; cf. 23, 8.

16. *tugadar ucht ar an dún*, 'they faced, attacked, the fortress.' Cf. 8, 39; 26, 114; and *tugadar a n-aighthe . . . air*, 31, 167.

18. *gur fastódh*, pf. pass. of *fastuidhim*, 'I stop, check.'

28. *a malairt*, 'anything but her.'

29. *tug amus . . . uirre*, 'made towards her.'

35. *tug ceangal na gcóig gcaol air*, lit. 'put the binding of the five smalls on him,' i.e. tied him neck, wrists, and ankles.

38. *Con gCulainn* for *Con Culainn*. So the dat. *do Choin gCulainn* in line 40 for *Choin Chulainn*. The eclipsis has spread from the acc. *Coin gCulainn*; cf. 3, 6.

39. *Laogh mhac Rianghabhra*, Cú Chulainn's charioteer.

45. *do dhruim*, 'over.'

47. *táithbhéim*, a cast mentioned among Cú Chulainn's feats. The exact meaning of the word is unknown. Meyer, Ériu i. 115, conjectures 'stunning shot.'

is gach, now *ins gach = in gach* (10, 7); cf. 1, 32, note. The MSS have *as gach*, which might mean 'out of each,' but the prep. *i n-*, with its neutral vowel, is generally written *a n-*. The Mid.Ir. source has the gen. *én cach thíre*.

48. *Srúbh Broin*, O.Ir. *Srúb Brain*, 'Raven's Bill,' is really Stroove Point in Inishowen, Co. Donegal. The episode of Cú Chulainn and the birds did not originally belong to the story of Cú Raoi.

53. *fá neasa dhóibh*, 'which was nearest to them,' i.e. 'next.' Cf. 30, 73.

54. *líon sluagh*, 'full number of hosts,' i.e. 'with all his forces.' *líon* is nom. in apposition to the logical subject of the action implied by *teacht*. Cf. *triallaid . . . líon seacht gcath*, 15, 66, and 20, 19; 31, 13, 52, 72. In O.Ir. the dat. of accompaniment is more usual: *tánic dib cétaib long*, 'he came with two hundred ships.'

áis, 'free-will,' now usually *ais*.

gomadh córaide dhó, &c., 'that he ought to do so the more because she would bring it about.'

56. *i n-uathadh sluagh*: cf. 29, 8.

58. *an dáil*, 'the matter'; or perhaps 'the tryst,' or 'the compact.' Cf. 26, 10.

60. *cathair*, 'fortress.'

do bhéaradh barr ar, 'which should excel.'

63. *a rabhadar*: one would expect *a raibhe*, 'all that there was of stone pillars,' but the vb. is pl. to agree with the sense. So Keating writes in *Trí Bior-ghaoithe an Bháis*, 5031, *tar a rabhadar do mhanchaibh . . . san gcoimhthionól*, 'over the heads of all the monks in the community.'

66. *ré teacht Ch. gC.*, 'at the coming of C. Ch.,' i.e. 'when Cú Chulainn should come.'

68. *sgannradh*, 'scattering, dispersion'; cf. 29, 80. Now 'fright.'

74. *ris an sruth*, 'down the stream'; so *ris an aill*, 'down the cliff,' l. 88.

6. MORANN'S COLLAR

1. *reimheas*, 'lifetime,' later often *réimheas*, 'reign,' through association with *réim* and *réimeas*, 'sway.'

dá ngairthí Cairbre Chinn Chait refers to *Maoin*. The legendary Morann is sometimes called *mac Maoin* and sometimes *mac Cairbre Chinn Chait*. Keating, or his copyist (for other copies omit *dá . . . Chait*), combines both versions by making Maon a name of Cairbre. But in a Mid.Ir. tale Morann is the son of King Cairbre, and the smith Maon is his foster-father.

2. *agá raibhe . . . aige*: *aige* was at first pleonastic, but it has become universal in the spoken language, *agá* being worn down to *'ga* or *go*, and felt as a mere introductory particle. Cf. 12, 48.

4. *fána bhrághaid*, 'round his neck,' for earlier *um a bhrághaid*. The preposition *fá* is early substituted for *um*, which has now disappeared from most dialects. Cf. *guidhe um*, 27, 53, and *guidhim fá*, 2, 32; *fán am soin*, 11, 1 = *'mun am soin; fá seach*, 26, 12, Mid.Ir. *imma sech*; *cidh fár*

chóra, **3**, 112; *fán gcúis sin*, **27**, 74; and, at the present day, *ag gáiridhe umam* and *ag gáiridhe fúm*, &c.

6. *an mbreith gcóir*, acc. sg. of *an bhreath chóir*, here the object of a verb. It would now be used only after certain prepositions.

7. THE LEINSTER TRIBUTE

2. *bóraimhe* ('cattle)-tribute,' lit. 'cattle-counting,' *bó-rimhe*, cf. *ríomh*; then used to denote a place where the cattle-tribute was collected and counted; see **27**, 132. Cf. *Magh Mucraimhe*, 'plain of the swine-counting,' **9**, 10.

3. *inghean*, gen. dual; cf. *fhichead*, line 29.

4. *Eochaidh*: note that in this name the *o* is short, as in *deoch*, *neoch*.

6. *Magh Luadhat*, old name of Magh Nuadhad.

12. *dá cumhaidh*, 'of grief for her.'

13. *dias*, two persons, makes gen. *deise*, dat. *dís*; but *dias*, 'ear of corn,' gen. *déise*, dat. *déis*.

20. *i n-íoc*, 'as retribution for.' Cf. *i ndíol*, **23**, 102; **30**, 29.

27. *do Uibh* = *d'Uibh*. The non-elision of the vowel is an archaism which was considered a grammatical error in the schools of the sixteenth century.

8. THE BATTLE OF CRIONNA

1. *táinig fá bhrdghaid*, &c., 'who usurped the kingship from Cormac.'

3. *iar mbreith a ghiall*, 'when they had taken his hostages.'

13. *sa ló* = *san ló*.

15. *dá dtugair*, 'if thou bring,' pres. subj.; cf. **15**, 11, 18; **23**, 36. *dá* was common with the pres., where *má* is now used.

20. *gonais*, 3 sg. pret.; *ghonas*, l. 21, 3 sg. pres. rel.; a good example of the difference of form and meaning.

23. *maith fuarais*, 'thou hast good reason.'

24. *h'athair*, also written *th'athair*, **28**, 20 = *t'athair*. Note that the original *t* (cf. *tú*) is preserved before vowels because it begins an accented syllable. Before the accent it becomes *d*, hence *do mháthair*. So *ót othras*, **4**, 20; *it aon-mhnaoi*, **10**, 46; *rét inghin*, **31**, 117 (the *t* goes with the following vowel); but *ód lá*, **31**, 118; *id leith*, **16**, 36. The analogical form *d'athair* now used in northern dialects is not found in the literature. For the aspiration cf. *mh'athair*, **12**, 52; *mh'iall-chrann*, **23**, 176.

25. *ann*, 'for it,' or 'for him.' For the prep. cf. **11**, 39; **19**, 5; **31**, 297.

27. *Fearghusa*, gen. in apposition to *ríogh*; cf. **15**, 38; **19**, 57. Such apposition is now confined to *Ó* and *Mac* in surnames.

32. *go líon a sluagh*, 'with all their forces.'

42. *gusan dtulaigh*: the acc. art. after *go* 'to' eclipses. Cf. the dat. art. *ón tulaigh*, **3**, 54.

43. *ré hucht chdich do dhul san chath*, 'when the rest were about to go into battle.'

45. *lonn laoich*, 'warrior's fury,' Mid.Ir. *lond láith. lonn* is properly an adj. 'angry.' The old phrase is *lón* (or *lúan*) *láith*, 'warrior's moon,' a beam of fire supposed to spring from the forehead in the fury of battle.

48. *narbh é sin ceann*, 'whether that was the head.' *narbh* (also *arbh*) is interrog. pf. of the copula, affirmative; the neg. would be *nacharbh* or *nárbh*.

68. *go dtugadh*, past subj., 'that he might bring Tara's wall within the space encompassed by his chariot on that day.'

71. *an dtugadar . . . leó*, 'whether they had taken in, brought off.'

76. *tug ar*, 'caused.'

79. *cneasughadh tar goimh*, 'healing over pain,' i.e. a merely external cure.

81. *ar ceann*, 'to fetch.'

87. *an dara mairg*: with regard to the ordinals (*a*) the masc. is used with fem. nouns: *an seachtmhadh bliadhain*, 19, 1 ; 31, 6 ; (*b*) the following noun, especially when fem., is generally left undeclined, as here (but *na treas mairge*, l. 91). Cf. *d'iarraid in dara hingen*, Acallamh na Senórach, 4134 ; *iar bforbadh an seiseadh bliadhain*, 'after the completion of the sixth year,' Four Masters i, p. 14 ; *i cionn an dara bliadain*, Silva Gadelica i. 304. In the masc. gen. we have *an dara cóigidh*, 11, 11–12 ; in 25, 119 the MSS. vary between *cath* and *catha*, and the noun is undeclined in *an treas lá*, 18, 12. But *céad-* 'first' always forms a compound, hence *an céad-chath* (*an céad cath* = 'the hundred battles'), gen. *an chéad-chatha* ; *an chéid-bhean*, gen. *na céad-mhná*.

95. *teallach*, 'hearth, fire ' ; Mid.Ir. *tellach* and *ten-lach*, 'fire-place.'

go ndearnaidh, &c., 'until it became a red-hot mass.'

9. THE DREAM OF CORMAC'S MOTHER

1. *iongnadh* (= *in* + *gnáth*, 'unknown,' 'unfamiliar,' 'strange,' hence 'wonderful ') is an adj. here, as in the older language.

2. *dar lé . . . do teasgadh*, 'she thought (that) it was cut,' *dar lé* is followed by a principal clause; it does not take the conj. *go*.

4. *do leathnuigh*, 'it spread.' If *géaga* were the subject the vb. would be plural.

5. *préamh*, for earlier *fréamh*, Mid.Ir. *frém*, O.Ir. *frén*, is common in the literature as in modern speech.

7. *musglais*: *mosglaim, musglaim* and *músglaim* are all found.

9. *beanfaidhear*, fut. pass. of *beanaim*, in Early Mod.Ir. also *boinim*, now *bainim, buinim*, through confusion with *buain*, 'act of reaping, cutting.'

12. *réna linn sin*, 'during the time of that ' = 'thereupon,' 'then.'

15. *Fian*, now *Fiann*.

17. *táinig . . . i gcrích*, 'came to pass.'

18. *chnáimh* is possibly an early instance of a noun left undeclined before a gen.; the usual nom. is *cnáimh* (l. 12), and here one would expect *chnámha*, the reading of H.5.26. But more likely *cnáimh* is gen. of the later form *cnámh*.

10. EITHNE AND HER FOSTER-FATHER

3. *Buicead*, originally a gen. sg., cf. l. 13, the old nom. being lost. From Mid.Ir. *Buchet, Buchat*, one would expect *Buichead*, but cf. *Dún Buicead* with the mod. Dunboyke.

12. *anaim*, now *fanaim*.

15. *boith*, acc. of *both*. Cf. *breith*, 6, 6.

22. *is amhlaidh* need not be translated, as there is no English equivalent, but the idiom is quite familiar in Anglo-Irish, 'it is how she had two vessels.' Cf. 11, 19.

26. *ann*, 'there.' Though the form is masc. it refers to the fem. *both*.

35. *cineál*, 'sorting, distinction'; in line 37 probably 'kindness.'

44. *a dhalta*, 'his foster-child.'

46. *maith tharla*, 'it is well.'

47. *díol*, 'disposal.'

   agom = ag mo.

48. *cumhaidh*, acc. of *cumha* or *comha*, 'condition, terms, gift'; cf. 25, 134. The gen. is *cumha* in 31, 69.

50. *dáil*, 'act of granting, distributing,' is a different word from *dáil = dál*, 'assembly, meeting, court, decision, case, matter.'

11. THE SIEGE OF DRUIM DÁMHAIRE

3. *cinnis comhairle*, 'he took counsel.'

4. *ní lé* (= *ré*) *riar a mhuirir*, 'something to support his household.' *tógbháil*, 'levying.'

6. *rúrachas*, earlier *rudhrachas*, 'prescriptive right.' Unclaimed debts or dues passed after a certain period into the *rúrachas* of the debtor. Hence 'the tribute which had been allowed to lapse.'

8. *dá chóigeadh Mumhan*, a common phrase in the literature. Cf. 25, 191. Keating himself gives alternative divisions, one into East and West Munster, the other into North and South Munster. On the varying boundaries of Munster see MacNeill, *Phases of Irish History*.

13. *barr cíosa*, 'an additional tribute.'

14. *cuiris tionól ar*, 'he assembled.' Cf. 30, 31.

16. *Druim Dámhaire*, earlier *Druim Damhghaire*.

18. *ucht ré hucht*, 'face to face.'

21. *go háirithe*, 'in particular.'

26. *Mogh Ruith*, O.Ir. *Mug Ruith*, 'slave of the wheel.'

triúcha chéad, or *triocha chéad*, 'thirty hundreds,' is equivalent to *tuath*, a petty state; cf. 23, 158. Giraldus Cambrensis identifies it with the Welsh *cantref*, anglicized 'cantred,' lit. 'a hundred homesteads,' containing on an average thirty persons each. There are two explanations of its origin. According to MacNeill, *Early Irish Population-Groups*, it originally meant a force of 3,000 men, also called *cath*, and was then applied to the territory from which such a force could be levied. As a land measure, corresponding often to the modern barony, it would vary according to the population of the district. According to Thurneysen, *Die irische Helden- und Königsage*, it meant a population-group of 3,000, and, in a military sense, the armed force which could be levied from such a group. In this phrase *triúcha* or *triocha* is generally undeclined; cf. 23, 158; 30, 74; 31, 21.

29. *maille ré*, 'along with,' has here the secondary sense of 'by means of, by,' as in 14, 11; 31, 117, 183.

30. *aieór* (disyll.) dat. of *aiéar*; cf. *beól, sgeól. aieór* is also used as nom. and gen.

31. *do ling . . . as*, 'burst forth.'

36. *cuir 7 teannta*, 'contracts and bonds.'

38. *i ngioll*, 'as a guarantee.'

12. THE FOUR COUNSELS

2. *ré hucht mbáis d'fhagháil*, 'at the point of death.' The eclipsis after the acc. *ucht* is regular.

5. *cheithre*, in this word and in *chúig* the initial is generally aspirated. Cf. 20, 4; 22, 6.

6. *sochar*, from *so-cor*, 'good terms,' hence 'advantage, profit.' Cf. *dochar*, 2, 12.

8. *moghaidh* is the result of a twofold change of declension, *mogh*, gen. *mogha* (cf. 11, 24) becoming *mogha*, gen. *moghadh*, and this last making a new gen. *moghaidh*.

15. *go gcuireadh*, past subj., 'until he should send.'

16. *don bhaile*, 'home,' now *abhaile*; cf. 29, 94.

léigis tuirse air, 'pretended to be grieved.'

17. *nach raibhe a bheag*, 'that there was none.' Cf. 2, 54.

23. *anabaigh*, 'unripe, premature, untimely,' acquired a sinister meaning in phrases like *bás anabaigh*. It was also influenced by *anba*, 'huge, monstrous.' Here it evidently means 'horrible.'

33. *gan fhromhadh*, 'untried.' *uaidh* goes with *nach rachadh*.

40. *go ndiongnadh*, cond. of *do-ním*, used here and in line 43 for past subj. *go ndéanadh* or *go ndearnadh*, 'that he might make.'

41. *do shéan nachar ghlac féin*, 'she denied that she had ever received.' Note the use of the neg., which is common after *séanaim*.

49. *nó gur sgaoileadh dhe*, 'till he was set free.'

55. *gabháil ar a iocht*, 'to undertake.'

64. *ór fhásadar*, lit. 'from which they grew,' i.e. 'in which they were born.'

66. *is eadh is dáil dona mndibh*, 'this is the way with women.'

13. CORMAC'S DEATH AND BURIAL

1. *do bhí d'fheabhas*, 'such was the excellence,' lit. 'it was from the excellence,' the clause *go dtug* &c. being the subject of *do bhí*. Cf. 29, 52.

3. *ré ais = ré a ais*; but for the poss. pron. it would be *ré hais*; O.Ir. *fria ais*, 'on his back,' hence, 'he took upon himself,' 'undertook.' Cf. 30, 63.

13. *ceard*, 'craftsman,' the same word as *ceard*, 'craft, art,' and like this still fem. in O.Ir.; in Mid.Ir. it became masc.

23. *fuireann oile adeir*, 'others say.'

26. *aos gráidh*, 'servants of trust'; cf. *fear gráidh*, 19, 36; *giolla grádha*, 28, 38. In such phrases *aos* (a different word from *aos*, 'age') or *lucht* is used as pl. of *fear*, e.g. *fear dána*, 'poet': *aos dána*; *fear comhaimsire*, 'contemporary': *lucht comhaimsire*, 22, 1.

30. *go dtuile mhóir*, 'with a great flood.'

34. *ris an bhfuad, nó ris an gcróchar*, 'from the *fuad* or bier.' The word *fuad* is required by the context, but apart from this, in modernizing his tales Keating frequently retains an old word and explains it by a later one. Cf. *miach nó mála*, 19, 74; *mh'iallchrann, nó mo bhróg*, 23, 176.

14. WHO WERE THE DRUIDS?

3. *ionar ndiaidh*, 'afterwards,' 'later on.'

4. *iomdha*, 'many,' now only used predicatively, as in l. 19.

6. *roi-leathna*: *ro* prefixed to nouns and adjj. always forms compounds, and the *o* is short; so *ro-mhór*, 31, 201; *ro-ghránna*, 289.

8. *feas* was originally a vb., pass. of *-feadar*. Cf. 23, 27.

9. *do cleachtaoi*, impf. pass. of *cleachtaim*, 'I practise'; cf. 24, 12.

10. *anall-ód* or *anall-úd*, 'of old,' is the adv. *anall* with demonstrative *úd* or *ód*; so *thall-úd*, *thall-ód*, Sc. Gael. *thallad*, and with other suffixes *anall-ana*, *anall-ain*, *siar-ana*, *aniar-ana*, &c. There is no noun **allód*.

iodhbarta, pl. of *iodhbairt* (and gen. sg. 15); *iodhbartha*, 24, pass. part. of *iodhbraim*; but the distinction is not always observed. Cf. *díbeartha*, 27, 11.

11. *reitheadh*, gen. pl. of *reithe*.

17. *seithidhibh*, late spelling of *seicheadhaibh*, dat. pl. of *seiche*, 'hide'. Cf. 25, 112; 31, 192.

18. *ré hucht bheith ag déanamh*, 'for the purpose of making.'

22. *an tan do cheileadh*, &c., 'when all these expedients failed.'

26. *toghairm*, 'a summoning, invocation.' Cf. Scott's description of the *taghairm*, 'Lady of the Lake,' Canto iv. 4.

    do bhuain sgéal díobh, 'to get information from them.'

28. *fis*, gen. of *fios*, usually *feasa*.

15. THE THREE COLLAS

4. *dirithe* is a noun; cf. *i n-dirithe*. The prep. *dh'* is now dropped; cf. l, 23 note. There is no authority for the spelling *dirighthe*.

5. *láimh ré Tailltean andeas*, 'on the southern side of Tailltean.'

8. *ditheas*, 'success,' now *áthas*, 'gladness'; cf. 31, 35.

14. *rachaidh ar a mhac againn*, 'we shall prevail over his son.' So in line 18, *dd ndeachaidh*, &c., 'if thou overcomest.'

25. *dia*, old form of *dd*.

26. *cuirid*: a collective subject usually takes a pl. vb., cf. 16, 18; 25, 167; 27, 62.

27. *bristear d'Fhiachaidh S.*, 'F. S. is defeated'; cf. l. 70 and 19, 22.

43. *digheóltar*, fut. pass. of *dioghlaim*, 'I avenge.'

49. *mithidh*, the old spelling is *mithigh*; the unaspirated *d* of the mod. *mithid* is due to the initial of the prep. *do* which generally follows.

54. *éirgidh ar*, 'go against, attack.' *éirgidh*, for *eirgidh*, impv. pl. of *téighim*, confused with the impv. of *éirghim*. Cf. 25, 142 (and *do-chuaidh*, 130). At the present day *eirigh* (*éirigh*) means 'go' (older *eirg*) as well as 'rise.'

    fíor gcatha, 'just cause of battle,' *casus belli*. *fíor*, 'truth,' 'fairness,' was originally neut. hence the eclipsis after the nom. sg.

16. AODHÁN AND BRANDUBH

2. *clann inghean*, 'daughters.'

11. *Brandubh* (pron. *Brannubh*), 'raven-black.'

15. *Dál* in race-names was a neuter noun, cf. *Dál nAraidhe* (23, 98). In the text it has lost its declension; so *Dhál gCais*, 25, 29, for earlier gen. *Dáil Chaiss*. It is a different word from the fem. *dál*, 'meeting, assembly, court, case,' &c., gen. *dála*, dat. *dáil* (also as nom.).

    fá rí Alban, 'who was king of Scotland.'

19. *tug ucht ar Laighnibh do lot*, 'he proceeded to plunder Leinster.' Cf. 30, 37.

24. *fán dáil sin*, 'concerning this matter.' So *fios na dála*, 43. Cf. 12, 67.

28. *ní dleaghair*, &c., 'I am not bound to inform thee.' *dleaghair* is pres. ind. pass. of *dlighim*. Cf. 26, 33.

32. *i bhfód fá leith*, 'aside'; cf. 31, 101.

35. *an mháthair atá id leith*, 'thy supposed mother.'

36. *aidmheóchaidh*, now *admhóchaidh*. Cf. *sainnteóchadh*, 31, 125.

37. *gabh iomad* (= *umat*), 'undertake.'

43. *go gcaillfeadh*, &c., 'that the Dál Riada would deprive him of the kingship.'

17. THE PAGAN AUTHORS

3. *ar a bhfionntaoi*, &c., 'who had been discovered to have falsified history.'

13. *madh* = *má* + pres. or past subj. of copula.

20. *guaillibh*, dat. pl. of *gualainn*.

18. PATRICK AND THE KING'S SON

1. *rí Ó Liatháin*, 'king of Uí Liatháin.' Cf. 28, 10.

2. *ní hionann 7*, 'unlike.' Cf. 22, 21.

6. *mac oighreachta*, 'son and heir.'

9. *tug fá-deara*, 'caused.' Cf. 23, 96, 101, and *cuiris fá-deara*, 23, 126. *fá-deara* was originally a vb. See note on 25, 128.

10. *do ghéaruigh*, 'became fervent'; cf. 20, 13.

13. *beannachais*, now *do bheannuigh sé*.

19. *do-chuaidh . . . ar ceal*, 'vanished.'

24. *ní riom-sa*, &c., 'it is not to me thou owest thanks.'

19. GUAIRE AND DIARMAID

2. *cailleach dhubh*, 'nun,' from *caille*, Lat. *pallium*, 'veil.' Cf. 16, 28, 30, where *cailleach* has the later meaning 'old woman,' 'hag.'

5. *i mboin*, 'for the cow'; cf. *san marbhadh soin*, 'for that murder,' 31, 297.

6. *don chur soin*, 'then, thereupon.'

7. *ar a chionn*, 'before him'; cf. 25, 50; 29, 38.

8. *foda*, old form of *fada*. Cf. *Riogh-fhoda*, 'of the long forearm,' 16, 17.

9. *uaire*, nom. pl. of *uair*, used as gen.

10. *athchuinghe* or *athchuinghidh*, 'request.' This is the correct form, not *athchuinge. It is now pronounced *achuini*.

12. *leath ar leath*, 'on either side.'

16. *chuireas cath*, 'that wins a battle.'

17. *ar sluaigh-ne*, dat. sg. For the effect of the slender *n* of *-ne* on a preceding consonant cf. *ní thiubhraim-ne*, 29, 82.

21. *go neart gConnacht*. The older construction would be *go niort Chonnacht*. Though *neart* was neut., it would not have eclipsed in the dat. But a noun governed by eclipsing *go* often eclipses a following gen. Cf. *go mbuaidh gcosgair*, 25, 195.

24. *do bheannuigh i nInis Cealtrach*. The statement that a saint

'blessed in' such and such a place is not uncommon. According to Plummer, *Bethada Naem nÉrenn*, ii. 326 it seems to mean 'is patron of,' or 'has a church at.' Cf. *Beatha Aodha Ruaidh*, 234, *an Doire in ro bendach an Colam cendais*.

25. *táinig buaidh gcatha*, &c., 'it came about that Guaire was defeated.'

26. *trí thráth*, 'three days.' Cf. 2, 68.

31. *ní fhuil breith*, &c., 'naught can save thee from defeat.'

37. *ar ise*, also *ar sise*. Cf. *ar iad-san*, 23, 206.

38. *dearg-ár a mhuintire do thabhairt*, 'that his men should have been slaughtered.'

42. *7 a mhionca do bhádar . . . aige*, 'though he had often had'; lit. 'and the frequency of it (that) he had.'

45. *do rinn ghaoi*, 'at the spear's point.'

50. *lucht*, 'some'; cf. 26, 55.

53. *a los ealadhan*, 'on account of (his) art.' *a los*, lit. 'out of the tail,' hence 'as a result of,' like modern *de bharr*. *ealadha*, 'art, craft, skill, profession, métier, work of art'; now pronounced as if written *ealaí* (like *ealadha* 'swans,' now *ealaí*), and sometimes spelled *alaidhe*.

59. *thairis*, 'around him,' lit. 'across him.'

64. *ar a thruaighe leat fám chumhachtaibh*, 'because thou deemest it grievous (to be) in my power.' The *a* is proleptic, 'for the pity of it (i.e. of being) in my power'; cf. 1, 12. The construction is clearer in H.5.32, *ar a thruaighe riot bheith fám ch.*; so in line 67, *bocht Dé do bheith gan ní*.

70. *dá ngiallfadh*, 'to whom he should yield.' Contrast *dá ngialladh*, 'if he should yield.'

76. *neith* (also *neithe*), earlier *neich*, is the gen. of *ní*, which is neut. of *neach*.

20. THE ROAD OF THE DISHES

2. *Mo Chua*. Irish saints are often known by pet names preceded by the poss. *mo* or *do* (later confused with the numeral *dá*), and, as in most languages, the pet names are shortened forms of the full names, often much disguised. Thus *Mo Chua*, also *Do Chua* = *Crónán*; *Mo Chuda*, 21, 12 = *Carthach*; *Mo Laise*, 23, 63 = *Laisrén*; *Mo Laga*, 23, 87 = *Loichíne*; *Dá Lua*, for *Do Lua* or *Mo Lua*, 28, 40 = *Lughaidh*. So *Mo Bhí* = *Bearchán*. Some have the diminutive suffix *-óg*, borrowed from Welsh: *Da Chaomhóg*, 27, 14 (also *Mo Chaomhóg*) = *Caoimhghein*; *Maodhóg* (or *M'Aodhóg*), 30, 80 = *Aodh*, itself a shortened form of a compound such as *Aodhghal*.

4. *siar budh dheas*, now *siar ó dheas*, 'to the south-west.' Cf. 27, 106.

8. *biorar*, now *biolar*. The old form is kept in the place-name *Biorra*, 'Birr,' acc. pl. (or for dat. pl. *Biorraibh*).

12. *ná déin*, 'do not (go).' When *do-ní* is used as an auxiliary (cf. 3, 58), the verbal noun is sometimes understood.

an agam-sa go nguidhinn, 'stay with me that I may pray.' The past subj. is common in final clauses even after a primary tense.

14. *an aoin-fheacht soin*, '(at) that very time.' Possibly the first word is to be read as the prep., *i n-*, but if it is not the art. the enclitic *soin* must be changed to the fully stressed dem. pron. *sin*.

17. *trialltar leó*, 'they proceed.'

19. *líon a theaghlaigh*, 'with all his household.'

22. *anma*, here gen. of *ainm*; the gen. of *anam* has the same form.

23. *tug súil seacha*, 'he looked round,' lit. 'past him.'

26. *ní heagail duit*, 'thou hast no reason to fear.'

29. *leanaid do* (= *de*), 'stick to.'

36. *ittear*, impv. pass. of *ithim*.

21. THE THREE WISHES

6. *ré a bhronnadh*: *ré a* (or *réna*) *mbronnadh* would also be correct, but *ór 7 ionnmhas* is taken as one idea.

8. *ré friotal na fírinne*, 'to expound the truth.'

12. *gur bhean*, &c., 'that he took away every blessing from him, if it is true,' i.e. 'if the story is to be believed.'

22. MO CHUA AND HIS THREE PETS

7. *ní sa mhó*: *ní sa* (asp.) before compar. is still common, though less widely spread than *níos*.

8. *crois-fhigheal*, gen. pl. of *crois-fhighil* 'cross-vigil,' i.e. vigil or praying with arms extended in the form of a cross.

9. *cheana* need not be translated. It emphasizes the preceding word. Cf. 1, 9.

11. *do-níodh sgíoth*, 'he rested.'

18. *ní cuirthe dhuit*, &c., 'thou must not wonder at the deaths.'

23. THE CONVENTION OF DRUIM CEAT

5. *ar a méad do mhuirear 7 ar a dheacracht a riar*, 'because they were such a burden and it was so hard to satisfy them,' lit. 'for their amount of burden and for the difficulty of it—the satisfying of them.' The second *a* is proleptic; cf. 1, 12.

7. *dnroth*, here undeclined; in older texts the gen. is *dnrotha*.

8. *trian bhfear nÉireann*, note the eclipsis after the neut. *trian*. 'A third of the men of Ireland' is of course an exaggeration; even if only

the freemen are counted. Cf. the statement in 'The Destruction of Da Derga's Hostel' that 'in Conaire's reign a third of the men of Ireland were marauders.'

ré filidheacht, cf. the modern *le* in phrases such as *dul le céird*, 'to adopt a trade.'

9. *coinnmheadh*, Englished 'coigny'; *ar c.* 'quartered,' 'billeted.'

20. *buin-chíos*: see note on line 180.

25. *éirghe shluaigh*, 'military service.'

26. *éarca*: nom. *éaraic* or *éiric*.

27. *fá clos*: *clos* is here used as an adj., but it is really a verbal form, O.Ir. *ro-clos*; cf. *at-chlos*, 31, 226. The confusion starts with *ní clos*, which is taken as neg. of *is clos*. So *ní feas* (cf. 14, 8) makes affirmative *is feas*.

31. *fá thuairim*, simply 'to.'

35. *curthar* and *cuirthear* are both used; cf. 2, 88; 29, 69.

42. *dlighe* f. and *dligheadh* m. (gen. -*idh*, line 78), are both in use. Cf. *aindlighe*, 30, 36.

44. *doctúir*, now *dochtúir*.

52. *poibleacha*, pl. of *pobal*, 'peoples.'

62. *go nach faicfeadh*, 'that he might not see,' neg. of *go bhfaiceadh*.

64. *breith aithrighe*, 'penance.'

68. *rug . . . do* (= *de*) *bhreith ar*, 'sentenced.'

73. *Uidhir Chiaráin*, in H.5.26 *Leabhor Uidhre Ciaráin*, apparently the well-known codex *Leabhar na hUidhre* 'the Book of the Dun (Cow)', belonging to the Royal Irish Academy. Lives of S. Ciarán († 549) contain stories about his dun cow (*bó odhar*), whose hide was said to be preserved as a relic in his monastery at Clonmacnois. The oldest portion of the MS. was written in the monastery about the year 1100, but some centuries later the story arose that it was written by S. Ciarán himself on vellum made from the hide. The story told by Keating is not to be found in *Leabhar na hUidhre*, and though the MS. is now defective, probably his reference is wrong. He may have found it in Manus O'Donnell's *Betha Coluimb Chille*.

74. *duine uasal*, 'nobleman'; cf. 30, 60.

75. *Cuarnán*: in earlier authorities *Curnán*.

79. *Mac Earca*, a name of Muircheartach, grandson of Niall Naoighiallach, and king of Ireland, 513–34 or 536.

81. *coill reachta*, 'breaking the law.'

82. *Clanna Néill an tuaisgirt*, 'the northern Uí Néill,' the descendants of Niall Naoighiallach in Ulster, to distinguish them from the branch in Meath, *Uí Néill an deisgirt*. The northern branch included Cinéal Conaill, Cinéal Eóghain, &c.; the chief kindred in the southern was Clann Cholmáin, 27, 91. These are kin-names, not surnames. On the

other hand the surname Ó Néill (27, 46) marks descent from Niall Glúndubh, who fell at the battle of Ceall Mo Shámhóg (Island Bridge, Dublin), in 919.

92. *leath ar leath*, 'on both sides.' Cf. 25, 149; 26, 13.

102. *i ndíol a sháruighthe*, &c., 'to avenge the outrage on himself in the matter of Baodán.'

108. *coirr-chléireach*. In O'Donnell's *Betha Coluimb Chille* this is referred to as *samhlughadh re cuirr*, 'likening him to a heron.' In another version of the legend the queen accuses Colam Cille of practising *corr-gainecht*, 'sorcery.'

112. *i gcionn an átha*, 'beside the ford.' Cf. 28, 40.

118. *i le*, 'hither, to this time'; also written *ale*, O.Ir. *ille;* now often misspelt *i leith*.

119. *oireacht*, 'court,' i.e. an assembly of nobles owning allegiance to a king = *oireachtas*, ll. 131 and 137.

122. *gur ghabhadar do chaobaibh criadh orra*, 'so that they pelted them with clods of clay.' Distinguish *gabhaim ar*, 'I strike, attack,' (*de*, 'with'), from *gabhaim i n-*, 'I thrust against, pierce,' 25, 168.

123. *gur brúdh 7 gur breódh*, 'so that they were bruised and hurt'; pf. pass. of *brúim* and *breóim*, now generally written *brúghaim* and *breoghaim*.

127. *buain*, now *baint, buint*, used as verbal noun of *beanaim*, 'I strike.' The Irish bells were tongueless.

133. *ionadh*, the usual form in the earlier language; cf. 25, 21; now *ionad*, generalized from cases like *san ionad soin*, 31, 137, where the *d* is deaspirated by the following *s*.

135. *ráinig*, 'it did come to him,' referring to *rochtain* in the preceding sentence.

141. *mo riar*, 'to grant my wish.'

149. *ar a líonmhaire atáid*: if *atáid* were omitted the sense would still be 'because they are so numerous,' but then *a* would not be proleptic, and the construction would be the same as in line 5, *ar a méad*.

155. *cor ar gcúl*, 'to set aside,' 'do away with.'

166. *go cinnte*, 'in particular.'

167. *múnadh*, now often *múineadh*.

175. *leanabh*, dependent form of *leanfad*; 'I shall not urge thee further.
   go raibhe, 'may he be.'

177. *mar a mbiad*, 'in the place where I shall be.'

180, 181. *buin-chíos, aird-chíos*. These terms are not found in the published Laws. Evidently a state which paid *aird-chíos* enjoyed a greater share of independence than one which paid *buin-chíos*, *aird-chíos* being of the nature of an imperial contribution, and *buin-chíos* implying closer supervision on the part of a central government. Prof.

MacNeill suggests that *aird-chios* meant tribute paid by a *rí*, and *buin-chios* tribute paid by a *tuath*. Cf. 25, 18, 22, and 31, 32.

183. *biaidh cairde go bráth uait*, 'they shall have respite from thee for ever.'

186. *glinne*, old gen. of *gleann*; cf. 28, 25.

195. *craoi*, gen. of *cró*, 'enclosure, hut.'

200. *an guth*, 'a voice.' The definite art. is used for vividness.

201. *tar, tara, tair, taire, tarr, tarra, tairr* and *tairre* are all found as 2 sg. ipv. of *tigim*.

208. *crann saingeal*, 'chancel screen or railing,' is a blend of earlier *crann caingeal*, from Lat. *cancelli* 'rails,' and a loan from O.Fr. or Mid. Eng. *chancel*; for the *s < ch* cf. *soinsiléir*, Mid.Eng. *chanceler*; *sóinseáil*, Mid.Eng. *chaunge*.

209. *siar*, 'backwards,' hence with the two secondary meanings, 'into a building' (as here), and 'westward'.

213. *ria* '(added) to it,' unless it stands for *lé* 'with it'.

215. *dá mbiadh*, '(of those) that should be.' Distinguish *dá mbíodh* '(of those) that used to be,' 31, 60; *dá mbeith*, 'if he were,' 27, 100.

24. HOW COLAM CILLE GOT HIS NAME

2. *Críomhthann*, an old word for 'fox.'

3. *agá mhúnadh*, 'being taught'; cf. 3, 80.

5. *lochta*, gen. of *lucht*; also *luchta*, 11, 2.

8. *éirghe amach = dol amach*, l. 7.

15. *an t-ainm . . . do thabhairt i ndearmad*, 'that the name should be forgotten.'

25. THE BATTLE OF BEALACH MUGHNA, A.D. 908

4. *rath*, 'grace.'

5. *buachaill* has here the old sense of 'cowherd,' now expressed by *aoghaire bó*.

22. *i gceart na ronna*, 'by right of the division.' The story of this alleged division is not historical; it was devised to account for the names. As MacNeill points out, *Celtic Ireland*, p. 61, *Leath Chuinn* means 'Freeman's Half,' and *Leath Mogha* 'Slave's Half,' 'which is, to say the least, suggestive of ancient politics.'

26. *ré hucht n-imtheachta dhó*, 'when he was about to start.'

33. *gach ré nglún*, 'every alternate generation.' Cf. 29, 12. In this idiom *ré* is not a prep., but stands for O.Ir. *la = ala*, the proclitic form of *aile*, Mod. *oile, eile*, 'other.' The words are in the acc., hence the eclipsis.

36. *iomthúsa*, lit. 'proceedings,' pl. of *iomthús*, hence as prep. with gen., 'as regards.'

40. *ré triall*, 'in order to start.' Perhaps we should read *ré dtriall*, 'before starting.' Cf. *ré ndol*, l. 45.

41. *ar fud*, 'along.' *fud* is dat. of *fod*, old form of *fad*; cf. *foda*, 21, 2.

42. *domhain*, now often *doimhin*.

48. *tagraid . . . ris*, lit. 'they plead a message of peace towards him,' i.e. 'make overtures of peace to him.'

50. *go Bealltaine ar a gcionn*, 'till the following May,' lit. 'the May before them.'

   coidhcis d'fhoghmhar, 'a fortnight of autumn,' i.e. 'the middle of August.'

51. *i láimh*, 'into the keeping, custody.' Cf. line 198, and *i n-orláimh*, 103.

54. *i gcomaoin*, 'in consideration of.'

58. *maoineadh*, gen. pl. of *maoin*. Cf. 5, 3.

62. *is urusa a aithne*, &c., 'the meanness of thy spirit is easily seen from the softness of thy mind.'

74. *oirne = orainne*.

78. *gion go*, 'though not,' lit. 'without that.' Cf. 29, 58; 31, 323. *gion* is another form of *gan*. *tugainn*, 1 sg. past subj.

81. *comharba Comhghaill*, 'successor of Comhghall,' i.e. abbot of Bangor. Maonach († 921) was also abbot of Castledermot (line 51), for in line 92 we read that there were monks of Comhghall's community in Castledermot, or as it is in TF., *ba baile la Comghall Disiort Diarmada*.

89. *mhic Aodha Róin*: Diarmaid († 825) was the grandson, not the son of Aodh Róin, king of Ulaidh († 735).

   áit i raibhe féin dá fhoghlaim, 'where he had studied.'

91. *Colmán mhac Léinin* is the patron of Cloyne.

95. *ulc*, dat. sg. of *olc*.

97. *go neimhcheaduightheach*, 'without leave'; probably a mistake for *go neamhchumdaighthe*, 'without restraint,' TF.

98. *Maoil-Sheachlainn*: see note on 27, 3.

100. *dá gcois 7 ar marcaigheacht*, 'on foot and on horse.'

110. *do chomhnuigh*, 'tarried.'

111. *comharba Ailbhe*, 'successor of Ailbhe († 534 or 542),' i.e. abbot of Emly.

   cléiricibh, dat. pl. of *cléireach*; the second *c* is deaspirated after the *l*. So *cléirceacht*, *cléirceas*.

112. *giollaidhe an tsluaigh*, 'the camp-followers.' *giollaidhe* is a late spelling for *giolladha*. Cf. 14, 17, note.

114. *i n-ucht choille 7 daingin*, 'in front of a wood and fastness'; = *7 a ndruim ra coille ndaingin*, 'with their back to a fast wood,' TF.

117. *feadhain*, 'band, troop'; *ceann feadhna*, 'commander'; *ceannas feadhna*, 'command.'

123. *a cheithre uiread do shluagh ré*, 'four times as numerous as.'

128. *fá-deara*, 'which caused,' a relative vb., O.Ir. *fo-fera*, 'çauses,' *fo-d-era*, 'which causes,' *fo-d-d-era*, 'which causes it'; now written *fé ndeara*, *fé ndeár*, Sc. Gaelic *fainear*. In non-rel. construction the verbal force is forgotten, and we have *tug fá-deara*, 18, 9; 23, 96; 28, 6; *cuiris fá-deara*, 23, 126.

130. *uirre*: though *each* is masc., the pronoun referring to it is regularly fem.; cf. lines 153, 164–5.

136. *fris*, old form of *ris*.

142. *díbridh uaibh*, 'drive away.'

145. *gur ghabhadar . . . briseadh chuca*, 'that . . . were defeated.'

148. *laoch*, Lat. *laicus*, when contrasted as here with *cléireach*, Lat. *clericus*, keeps its old meaning of 'layman'; otherwise it has the secondary meaning 'fighting man, warrior, soldier,' and now 'hero.'

gan commarbhadh, &c., 'but they were slaughtered indiscriminately.'

149. *do haincidhe*, impf. pass. of *aincim*, 'I save, spare.' The ending *-dhe* = the usual *-thi*. As the syllable between *n* and *c* is dropped (cf. the noun *anacal*), (*a*) the vowel following *c* remains, (*b*) the intervocalic *th* becomes *dh*, and (*c*) the final vowel is not lengthened to *i*; cf. *do beirthi*, O.Ir. *no berthe*. The cond. pass. has the same ending in *do léigfi-dhe*, contrasted with that of *do béarthaoi*, O.Ir. *no bérthe*. See note on 29, 49. But recent spellings such as *buailtidhe*, in which the ending is doubled (*-ti-dhe*), have no authority.

152. *triallais* here = 'retired,' not 'advanced'; cf. line 136. TF. has *térna*, 'escaped.' Ceallach, the commander of the first battalion, had already fled, line 144.

159. *beir as tú*, 'escape.'

mar is fearr go dtiocfaidh leat, 'as best thou mayest.' One would expect the relative form *thiocfas*. But the construction is not uncommon in Early Mod.Ir.; cf. Mac Aingil, *Scáthán*, 556–7: *do chuirios na ráitisi na naomhaithreadh sios . . . focal ar fhocal mar as fearr gur fhéudas Gaoidhiolg do chor orra*. Possibly Keating has misunderstood his text here. The older version (TF., p. 208) reads *amhail is ferr cotniocfa*, where *co* is not the conj.; *cotniocfa* is 2 sg. fut. of *con-icim*, 'I can,' with infixed pron. 'it.'

167. *gur ghabhadar dd ngaothaibh ann*, 'and pierced him with their spears.' Cf. 23, 122.

169. *Sionna*, gen. of *Sionainn* 'the Shannon.'

180. *truaighe* is the noun 'pity,' *truagh*, 187, the adj., hence in historical spelling one should write *is mór an truaighe*; but both are now usually pronounced *trua*, and written *truagh*.

195. *go mbuaidh gcosgair*: both *buaidh* and *cosgar* mean 'victory.' The expression is emphatic like the modern *codladh suain*.

H

203. *ban-chomharba Brighde,* 'successor of Brighid,' = abbess of Kildare.

210. *seal bliadhan,* 'some years.'

26. THE PURSUIT OF CEALLACHÁN OF CASHEL

5. *Cinnéide* or *Cinnéidigh,* O.Ir. *Cenn-étig,* 'ugly-headed.'

9. *oideadha,* a strange form used as gen. of *oide,* 'foster-father,' 'tutor.' H.5.26. reads *oide.*

comharba Pádraig, i.e. abbot of Armagh; cf. 25, 81.

10. *ddil,* here 'agreement,' 'compact.'

12. *fá seach,* 'alternately.'

13. *leath ar leath,* 'respectively.'

18. *Lochlann* is really the name of Norway, but as often in Ireland the names of peoples were used for their territory (*Laighin, Ulaidh,* &c.) here by confusion the land-name is used for the people; cf. *Lochlannach,* 41.

19. *Sitric* and *Tuirgéis,* from the Norse *Sigtryggr* and *Thorgestr.*

20. *Bé Bhionn = Bé bhFionn,* 'fair lady.' *bé* was neut., hence the eclipsis. The name early lost its declension, hence always *Brian mhac Bé Bhionn*; cf. the place-name Lickbevune in Kerry, *Leac Bé Bhionn* FM. v, pp. 1628 and 1782. There is no name *Béibhionn,* gen. *Béibhinne.*

22. *gan agra gan éiliughadh,* &c., 'they renouncing all claim and title to it.'

23. *ar a ionchaibh féin,* 'under his safeguard.' *ionchaibh* is dat. pl. of *eineach, oineach,* (1) 'face' (2) 'honour,' 'protection.'

33. *ní dleaghair an Mhumha d'fhágbháil,* 'Munster must not be left.'

35. *neart sluaigh,* 'a force'; cf. 28, 63.

39. *Eachach,* gen. of *Eocha,* Mid.Ir. *Eochu.*

45. *ré cian d'aimsir,* 'for a long time.'

58. *iarla,* sg. in form, may represent the old pl.; see 2, 68, note.

65. *an dá Fhear Moighe,* cf. 11, 26.

77. *sgeimhealta,* pl. of *sgeimhleadh,* 'skirmishing party.'

80. *deigh-eagair,* gen. as adj., 'well-arrayed.'

96. *fuidheall sásuighthe na sluag,* 'the leavings of the satisfaction,' i.e. 'whatever should be left over from the food-supplies of the hosts.'

99. *buain amach,* 'rescue,' 'recovery.' Cf. 30, 46, 55.

100. *iarladh,* gen. pl. of *iarla*; nom. pl. *iarladha.*

104. *dhá gcóir,* 'near them,' 'within their reach.' *cóir* is often confused with *comhair,* but it seems to be a different word; cf. *ar a gcomhair,* 'in front of them,' 109.

109. *ag agallmha Lochlannach,* 'speaking to the Norsemen.' Cf. 1, 23.

110. *tugadar . . . aithne,* 'recognized.'

118. *ar chládraibh na luinge,* 'on the deck of the ship.'

124. *beiris . . . ar bhrollach ar Shitric,* 'seized S. by the breast.'

125. *tar bordaibh luinge amach,* 'overboard,' = *tar bord na. luinge amach,* 128.

grian, 'bottom' (of river, &c.), is masc., gen. *griana.*

131. *téarnó,* 'escaped.' Cf. the vn. *téarnó* (for *téarnódh*), 4, 20.

144. *do-rinne . . . do chomhairle,* 'determined.'

152. *Ó* in apposition to *Domhnall,* acc. after *go,* 'to,' eclipses. Cf. 31, 36, 139.

27. HOW BRIAN BÓRAIMHE BECAME KING OF IRELAND

3. *Maoil-Seachlainn,* O.Ir. *Máel Sechnaill,* 'votary of Sechnall.' In such names *máel,* 'a short-cropped head of hair,' was originally fem., gen. *maíle* or *máele,* but as applied to men it became masc., and aspirated in gen. *maíl.* From being used in the weak unstressed position it early lost its declension, and in the MSS. *Maoilseachlainn* or *Maoileachlainn* is used for all cases. In the modern period it has been further shortened to *Mleachlainn* (*Mreachlainn*) and *Leachlainn.*

5. *inneal fá héadtarbhach,* 'an arrangement that was useless.'

9. *an tí,* now *an té.*

12. *allmhardhach,* 'foreigner'; *allmhardha* 'foreign, transmarine,' from *all* (cf. *thall, anall*) and *muir.*

13. *coinne do fhreagra dhóibh,* 'to meet them.'

22. *cath do fhreagra dhó,* 'to meet him in battle.'

26. *do ghabh coimirce ag na teachtaibh,* 'he pledged the envoys.'

34. *ar ceann,* 'to,' 'to fetch.' Cf. 31, 105–6.

37. *do fhreastal chatha,* 'to do battle.'

43. *do shluaghaibh Leithe Cuinn ar-cheana,* 'for the rest of the hosts of Leath Chuinn'; for *ar-cheana* cf. 30, 26.

48. *seasuigheadh,* 'let him maintain.' Cf. 30, 33.

56. *ionds a beith,* lit. 'than (is) its being,' = 'than that Brian should have it.' *ionds,* O.Ir. *indaas,* here keeps the rel. ending of 3 sg. pres. ind.; it contains the verb *tá.* Before pl. nouns Keating still uses *iondid,* but other distinctions of person, number and tense had long been lost, and the usual form was *ioná* or *ná.*

57. *caithfead umhla,* 'I must submit.'

70. *fán gcúis sin,* 'concerning that matter,' = *fán dáil sin,* 16, 24.

71. *dortadh flaithis,* 'ruin of sovranty.'

73. *cogar,* 'conference.' Cf. 4, 29.

75. *a bheag díobh,* 'any of them.' Cf. 2, 54.

77. *nárbh fholáir leó,* &c., 'they felt bound to secure some benefit.' O.Ir. *furóil* 'excessive,' hence *ní f. dam* 'it is not too much for me,' i.e. 'I must,' 'I am bound to.' Cf. *ní mór dam.*

83. *acht mar sin,* 'either.'

98. *gan chor gan choimirce*, 'without surety or safeguard.'

104. *ó thángais im theach-sa*. 'To come to a man's house' was a technical expression for to do homage to him, acknowledge him as liege lord.

108. *ná cuir-se im aghaidh*, 'do not thou oppose me.'

113. *don turus so*, 'this time.'

116. *do bhronn sé*, &c. The meaning of this is clear from a passage in *Caithréim Thoirdhealbhaigh*, quoted by O'Donovan, *Misc. Celt. Soc.*, pp. 177–8: 'It was a custom of old when any king of a tricha chéd or province took a gift or wages from another ruler, that with the wage he undertook submission and service, yielding to him as to his lord.' According to *Cogadh Gaedhel re Gallaibh* Mael Sechlainn's men refused to lead the steeds, and Mael Sechlainn bestowed them upon Brian's son Murchadh.

122. *Ó nEachach* is the regular gen. of *Uí Eachach*, lit. 'the descendants of Eochu,' but in the following line we have *Uíbh gCinnsealaigh*, in which the dat. pl. is used for gen. and eclipses like a gen. (still more irregular is *go hUíbh gCinnsealaigh*, 31, 40). Place-names often become stereotyped in the dat., which is more used than the other cases. Cf. *Uíbh Ráthach, Uíbh Laoghaire, Corcaigh, Cionn tSáile*, &c.

128. *bráighdeadh* (= *bráighde*, line 102), gen. pl. of *brágha* or *bráighe*.

129. *fhear Mumhan*: the initial of the gen. pl. *fear* is aspirated because the phrase is equivalent to a proper name.

132. *Bóraimhe* or *Bóramha* is a place-name in gen. sg.; cf. 7, 2, note.

142. *aimhdheóin*, neg. of *deóin*, still commonly written, but the form actually pronounced is *ainneóin*, from the Mid.Ir. by-form *aindeóin*.

28. THE CAUSE OF THE BATTLE OF CLONTARF, A.D. 1014

9. *Sliabh an Bhogaigh*: it is not certain whether this is a place-name, or 'the slope (or moorland) of the bog.' The GJ. version has *i n-aghaidh aoirde i gCoill Ghaibhle*.

18. *'na fiadhnaise*, 'in front of her.'

23. *Conaing*: his father Donn Cuan was a brother of Brian. In the next line, 'or according to others it was the successor of Caoimhghin,' refers probably to *Conaing Ua Cearbhaill, airchinneach Glinne dá locha*, who died in 1031.

27. *beirt dia rugadh cluiche air*, 'a move by which a game was won against him.' *beirt*, old acc. of *beart*; cf. 6, 6.

28. *dár briseadh dhíobh*, 'by reason of which they were defeated.'

30. *má thugas*, 'if I gave,' 'supposing I did give.' Distinguish *dá dtugainn*, 'if I should give,' or 'if I had given.'

33. *a shlán sin fúthaibh*, 'I defy them to do that,' lit. 'the defiance

of that at them,' *a . . . sin* being gen. of *é sin. an slán soin,* 'that defiance or challenge,' where *soin* is enclitic.

36. *mocha,* also *moiche,* abstract noun of *moch.*

40. *i gcionn chldir,* 'at the end of the plank bridge.' GJ. has *i gcionn droichid.*

48. *gomadh riarach ó Bhrian é,* 'till he should be submissive to Brian,' 'taking *ridr* or regulation from Brian.' Another reading is *riarach do.*

49. *léamhthaoi,* cond. pass. of *lamhaim,* 'I dare.'

54. *aithis bhréithre,* 'insulting words,' lit. 'reproach of word.'

58. *líon catha do chor,* 'enough to fight a battle.'

59. *dá dtug fulang,* 'whom he allowed.'

61. *trácht ceannaigheachta,* 'commerce.'

62. *tíribh,* now *tíorthaibh.*

64. *ar Moigh nEalta i gCluain Tarbh,* 'at Clontarf in Magh nEalta.'

69. *d'fhógra . . . air,* 'to challenge him.'

29. THE RETURN FROM FINE GALL

5. *Fiachaidh Muilleathan* (cf. 11, 10; 25, 34; 26, 11), son of Eóghan Mór, legendary ancestor of the Eóghanachta of Cashel, who ruled Munster for five hundred years. Their power was broken at Bealach Mughna in 908, but they still regarded Brian and the Dál gCais as usurpers. According to Keating Clann Charthaigh and Síol Súilleabháin are descended from Fiachaidh Muilleathan; cf. *sluagh Deasmhumhan,* line 20.

8. *i n-uathadh sluagh,* 'weak in numbers,' lit. 'in fewness of hosts.'

12. *gach ré bhfeacht,* 'alternately,' 'every other time,' see note on 25, 33.

13. *dábhar ndeóin,* 'with your consent.' For *dá* see note on 2, 44.

17. *coimhlíonadh catha dhóibh-sean,* 'enough men to fight them.'

21. *arma,* old pl. of *arm,* which was neut.; the masc. pl. *airm* occurs in line 69.

24. *freagradh . . . cath do,* 'let them cope with the attack of'; cf. l. 49.

25. *dá dtrian,* the masc. *dá* aspirated, the neut. eclipsed. *trian* is an old neut., cf. 23, 8.

26. *ní rabhadar Dál gCais,* &c., 'the Dalcassians numbered only 1,000 survivors of the slaughter, while the men of Desmond were three thousand strong.'

33. *do sochtadh leó,* 'they said no more.'

37. *cromaid ar,* 'they begin.'

38. *ar a gcionn,* 'before them,' 'waiting for them.' Cf. 25, 50.

40. *coimhéad,* 'watch.' Cf. 31, 267.

46. *tréna léigean,* 'for letting them go.'

49. *caithfidhe*, 2 pl. fut. ind. act., 'ye will have to,' not to be mistaken for the cond. pass. *do caithfidhe*. The ending *-dhe* in *caithfi-dhe* = *-thi*, &c., (older *-the*) in the pres. tense, *adeirthi, atáthaoi, fuilti*. Cf. note on **25**, 149.

52. *sul ráinig*, &c., 'before such a misfortune overtook us as that they should demand hostages of us.' *do* = *de*. The subject of *ráinig* is the clause *iad-san . . . orainn*. Cf. **13**, 1.

54. *7 nach raibhe líon catha do thabhairt*, 'since he had not men enough to give battle.' An extension of the idiom noted in **5**, 54; lit. 'since he was not (with) number of battle for giving,' *líon* representing O.Ir. nom. of apposition or dat. of accompaniment. *líon* is not the predicate, (for *atá* cannot take a noun as predicate) any more than the acc. of extent is the predicate in *do bhádar trí bliadhna ann*, **15**, 31. The idiom is common in Keating, cf. lines 26–7, 58, 85 of this story, **25**, 123, and **30**, 37. For *agus nach*, 'since not,' cf. **31**, 47.

57. *do beanfaidhe*, &c., 'I would have your tongues plucked out.'

58. *gion go mbeinn-se*, &c., 'if my army consisted of only one servant.' *sochraide*, 'host,' now *sochraid*, 'funeral.'

71. *againn* = *dhínn*; the partitive use of *ag* is confined to the forms *againn, agaibh, aca*.

ionnus gurab díochraide, &c., 'so that our united action may be the more earnest for that reason.'

72. *léigfe*, 3 sg. fut. ind., dependent form.

gluaise, 3 sg. pres. subj.

74. *machtnadh*, 'wonder,' now *machtnamh*.

81. *cath dlúith daingean do dhéanamh dhíobh féin*, 'to form themselves into a firm close body in battle array.'·

85. *atáthaoi líon a n-itte súd*, &c., 'there are enough of you to eat those men, if they were food ready (cooked).' *itte*, gen. of *ithe*.

87. *gá feirrde*, 'what advantage?' lit. 'how is it the better?'

96. *ar locadh catha orra*, 'when their offer of battle had been refused.'

30. DIARMAID NA NGALL

4. *go bhfreasabhra*, 'with opposition.'

5. *fá fhlaitheas nÉireann*: the eclipsis is here regular, as *flaitheas* is acc. after *fá* = earlier *um*.

8. *Dearbhorgaill*, stressed on second syllable, is really two words, either *Dearbh Fhorgaill*, 'own (daughter) of Forgall' (cf. *dearbh(bh)ráthair, deirbhshiúr*), or *Dear bhForgaill*, from an eclipsing *dear* (neut. or acc.?) said to mean 'daughter.' As it is uncertain to which word the *bh* belongs, the second alliterates in verse either with a vowel or with *b*. In Mid.Ir. the gen. *Deirbe Forgaill* occurs; later the weakly stressed

Dear(bh) lost its declension; cf. *Con-Loingeas, Meis-Geaghra, Maoil-Sheachlainn.*

11. *'na coinne féin,* 'to meet her.'

16. *cumann mímhéine,* 'an illicit attachment.'

21. *mar gurab ar éigin,* &c., 'as though Diarmaid were carrying her off by force.'

25. *réna chairdibh ar-cheana,* 'to the rest of his friends.' Cf. 27, 43.

33. *do sheasamh,* 'to defend.' Cf. 27, 48.

38. *do ghabh lé,* 'that sided with.' Cf. 31, 298.

44. *leitreacha,* also *leitre,* l. 48, and 31, 114.

45. *leis,* 'for him to take.'
lérbh fheirrde, 'who should be willing.'

46. *do neartughadh leis,* 'to help him.'
buain amach, 'win, recover, capture'; cf. ll. 50, 55, 64; 31, 15, 71, &c.

51. *Risteard mhac Gilbeirt* = Richard de Clare, Earl of Pembroke and Strigul. *Stranguell* is a blend of *Strigul* and his surname *Strongbow.* He is called *iarla ó Stranguell* in 31, 9, 111, 120, *ó* being the English *of.* The Four Masters call him *iarla ó Strangbouu.*

54. *7 d'fhiachaibh ar Risteard teacht,* 'Richard being bound to come.'

58. *Raph Griffin,* a corruption, through the Eng. *Rice ap Griffin,* of the Welsh *Rhys ab Gruffudd.*

59. *a dháil,* 'his case.'

61. *tré mhíréir an ríogh do dhéanamh,* 'for disobedience to the king.'

62. *dáil chabhra,* 'decree of help,' i. e. 'prospect of release.' Cf. *dál bháis,* 'sentence of death.'

65. *easbog San Dáibhídh,* David Fitz Gerald.

69. *clann aon-mháthar*: their mother was Nest, daughter of Rhys ap Tewdwr, the bishop and Maurice being sons of Gerald of Windsor, and Robert, son of Stephen, Constable of Cardigan.

78. *taoibh ré,* 'with only.' See note on l, 13.

81. *coimhthionól,* 'community.'

31. THE ANGLO-NORMAN INVASION

1. *gealladh,* 'promise,' also *geallamh,* 23, &c.

4. *i n-imeall . . . theas,* 'on the south coast.'

9. *Herimont Morti* = Hervey of Mount Maurice.

10. *do mheas,* 'to inspect.'

18. *i ngioll ré,* 'as a pledge for,' = *i ngeall ré,* l. 211.

19. *cíosa 7 cánachais.* Such pairs of alliterative synonyms are a common feature of Gaelic prose. Cf. in this section *sluaigh 7 sochaidhe,* 52; *milleadh 7 míochórughadh,* 53; *marbhadh 7 míochórughadh,* 143; *troda 7 teagmhála,* 148; *i gcoinne 7 i gcomhdháil,* 164; *uamhan 7 imeagla,*

185; *athchor 7 innarbadh*, 215; *síoth ná síothchdin*, 218; *umhla 7 óglá-chas*, 237; *umhla 7 onóir*, 262; *tuilleamh 7 tuarastal*, 276; *choimhéada 7 chosanta*, 310. Similarly, *mear míchéillidhe*, 146; *dian dásachtach*, 151; *lúthgháireach láin-mheanmnach*, 165; *easonórach anuasal*, 182.

27. *d'éin-mhéin*, 'with one accord.'

29. *biodhbha bhunaidh*, 'hereditary enemy.'

36. *do ghabh bardntas Éireann ré ais*, 'who had undertaken the pro-tection of Ireland.'

69. *do chionn*, 'because of,' 'according to,' in lines 88 and 112, 'on condition of.'

73. *ridireadh*, gen. pl. of *ridire* after *deichneabhar*; but nom. sg. after multiples of ten, lines 159 and 316.

81. *ag tógbháil*, 'building'; cf. 136 and 150. Distinguish *ag gabháil*, 'taking, capturing' (166); *ag toghail*, 'destroying.'

94. *ag teacht leis*, 'succeeding.'

116. *i mbun do gheallaimh do chomhall*, 'ready to fulfil thy promise.'

123. *airm*, 'place.'

129. *ráinig ris*, 'he could.'

130. *do chuir*, 'he sent'; *Réamann* is the object.

142. *na deóraidh d'ionnsaighe gusan longphort*, 'to attack the aliens in the fortress.' *deóradh* (nom. sg. also *deóraidh* and *deóra*) is the legal term for an outlander or alien, as contrasted with *urradh*, a native freeman or citizen. From this come the secondary meanings 'exile' and 'hermit.'

146. *chuige*, 'coming towards him.' Cf. *chuca*, 180.

149. *do-chuaidh ar gcúlaibh*, 'he retreated.'

156. *ré halt na haon-uaire*, 'on the spot.'

160. *gach drong ré gaisgeadh*, 'men-at-arms of every description.'

167. *aighthe*, pl. of *aghaidh*.

168. *tar*, 'beyond,' either 'over and above' (cf. 293) or 'notwith-standing.'

171. *gach a dtarla riú*, 'all they fell in with.'

178. *don chur soin*, 'straightway.'

179. *budh lugha ar lucht Átha Cliath . . . d'fhaigsin*, 'whom the people of Dublin were more loth to see.' *is beag orm é*, 'I dislike him.'

185. *ag teacht orra*, 'coming against them.'

192. *bhallaidhibh*, earlier *bhalladhaibh*; cf. 14, 17.

201. *gur ghabhsad neart ro-mhór ar*, 'and mightily prevailed against.'

213. *cuiridh*, 3 sg. pres. subj.

214. *nach géabhaidh gan*, 'will take nothing but,' 'will be content with nothing less than.'

218. *'na gceann*, 'in addition to them.'

219. *go beith d'Éirinn uile aige*, 'till he should have all Ireland in his possession.'

227. *dár bhean ris féin,* '(of those) that belonged to him.'

234. *is eadh do-connarcas dóibh,* 'it seemed good to them,' 'they resolved.'

242. *an cúigeadh lá don Nodlaig,* i.e. on the 29th of December.

253. *bailte cuan,* 'seaport towns.'

267. *coimhéad,* 'garrison.'

289. *ar breith,* 'possible.'

291. *an mhí mheadhónach don earrach,* 'the mid month of spring,' i.e. March.

298. *dá ngabhadh leis,* '(of those) that sided with him.'

300. *an mac robudh sine aige,* 'his eldest son.' Not *a mhac ba shine,* which could only mean '(it was) his son (that) was the eldest.'

301. *dol i seilbh,* 'to take possession of.'

303. *do chuir air,* 'affected him.'

307. *'na chionn féin,* 'before him,' 'threatening him.'

323. *gion go raibhe rún a bhásuighthe aige féin,* 'though he himself had not intended that he should be murdered.'

324. *tré réidheachadh,* 'for making peace.'

VOCABULARY

abb, m., gen. -adh, *abbot.*
ábhacht, f., *mirth.*
achmhasán, m., *reproach.*
adhbhal-mhór, *very great.*
adhnacal, m., *burial, burying.*
adhnaicim, *I bury.*
adh-uathmhar, *awful.*
agallamh, f., gen. -llmha, used also as dat., *addressing, accosting.*
agra, m., *demand, claim.*
aicme, f., *class, a portion, some.*
aidhmilleadh, m., *ruin.*
aiéar (disyllabic), m., gen. aieóir, dat. aieór (also used as nom. and gen.), *air.*
aill, f., *cliff.*
ainbheart, f., *outrage.*
ainbhreath, f., *inordinate demand.*
aindlighe, f., *injustice, wrong.*
áineas, m., *pleasure.*
ainimh, f., *blemish.*
ainmheach, *blemished.*
ainmianach, *covetous, importunate.*
ainriocht, m., gen. -reachta, *evil plight.*
airceasach, *greedy.*
airdheana, pl., *signs, tokens.*
aireachas, m., *sovranty.*
airghe, f., *herd.*
airgim, *I plunder.*
airgthe: *see* argain.
áirithe, with prep. do, d'á., dh'á., *certain*; go há., *in particular.*
airm, f., *place.*
airnéis, f., *cattle.*
áiseach, go há., *gently, softly.*
aiseag, m., gen. aisig, *restoration.*
aisgidh, f., *gift*; i n-a., *gratis.*
áisig, *expedient.*
aithbhear, m., *reproach, blame.*
aithbheó(dh)adh, m., *resuscitating.*
aitheasg, m., *answer, message, speech.*
aithle, in phr. a haithle, with gen., *after.*

aithmhéile, f., *regret.*
aithríoghadh, m., *deposition.*
aithris, f., *imitation.*
amaid, f., *fool.*
anaim, now fanaim; vn. anmhain.
anbhroid, f., *captivity, oppression.*
anfhorlann, m., *overwhelming force.*
antrom, m., *great weight, overwhelming numbers.*
annsa, comp., *dearer.*
aoghaire, m., *shepherd, herd.*
aonta, f., *consent.*
aontuighim, *I consent to.*
aontumha, f., *unmarried state*; in gen. as adj., *unmarried, marriageable.*
árach, m., *opportunity.*
áras, m., *dwelling.*
ardughadh, m., *raising.*
argain, f., *plundering*; gen. airgthe; pl. airgne, *spoils.*
árrachtach, *powerful.*
árrachtas, m., *bravery, might.*
athchor, m., *expulsion.*
athchuinghim, *I request* (with *ar* of the person).
athlamh, *prompt, quick.*

bachall, m., *staff, crozier.*
bain-treabhthach, f., *widow* (now generally baintreach).
baitheas, m., *crown of head.*
ban-cháinteach, f., *female satirist.*
ban-fhlaith, f., *lady, princess.*
ban-óglach, f., *maid-servant.*
banntracht, m., (coll.) *women.*
baoith-léim, f., *bound, spring.*
bárc, f., *bark, ship.*
básuighim, *I put to death.*
beadhgaim, now biodhgaim, *I start.*
beanaim = mod. bainim.
bearbhaim, *I boil.*
bearnaim, *I make a breach in.*
bharda, *garrison.*

biathadh, m., *feeding, furnishing
food-supplies.*
biattach, m., *hospitaller.*
bile, m., *a great tree.*
biodhbha, f., *enemy.*
biorar, m., *watercress.*
bioth-fhoghlach,*always plundering.*
bioth, m., *world,* in phr. san bhioth,
ar bioth, *at all.*
bith-díleas, m., *fee-simple.*
bíthin, in phr. do bh., *on account
of.*
bleoghain, *milking.*
bocán, m., *he-goat.*
bogach, m., *marsh, bog.*
bogha, m., *bow;* lucht b., *archers.*
bói-chéadach, *owning a hundred
cows.*
boilg-léas, m., *blister.*
boinín, *calf.*
both, f., *hut.*
brágha, f., gen. -d, (a) *neck,
throat;* (b) *prisoner, hostage;*
pl. bráighde.
braighdeanas, m., *imprisonment.*
braithim, *I disclose.*
bráithreas, m., *brotherliness.*
brat, m., gen. bruit, *cloak, mantle.*
bréagadh, m., *enticing.*
breathnuighim, *I purpose, design.*
bréid, m., *cloth.*
bréig-riocht, m., *disguise.*
briseadh, m., *breaking, defeat.*
broid, f., *captivity.*
brollach, m., *breast.*
bronnadh, m., *bestowing.*
bronntas, m., *id.*
(1) brú, *bank.*
(2) brú, f., *belly;* gen. bronn.
brughaidh, m., *landowner, farmer,
hospitaller.*
bruinne, f., *breast.*
buaidh, m. (formerly n.), *victory,
virtue, excellence, magic property.*
buaidhreadh, m., *trouble.*
buain, f., used as vn. of beanaim,
I strike, &c.
buannacht, f., *quartering, billeting,
soldiery.*
buirgéis, m., *burgess, citizen.*
buirgéiseach, m., *id.*

cabhlach, m., *fleet.*
cádhas, m., *veneration.*
cádhasach, *venerated.*
cáin, f., gen. cána, *tribute.*
cairde, m. and f., *respite.*
cairdeas, m., *friendship, alliance.*
cairthe, m., *pillar.*
caismeart, f., *signal, alarm.*
cánachas, m., *tribute.*
cantain, f., *singing, reciting.*
caob, m., *clod, lump.*
caoineas, m., *kindness.*
caon-dúthrachtach, *devout.*
caonnach, m., *moss.*
caorthann, m., *rowan-tree.*
carrán, m., *sickle.*
casaoid, f., *complaint, complaining.*
cath-láthair, f., *battle-field.*
cealg, f., *deceit.*
cealgach, *deceitful.*
cealltair, f., *mask, disguise.*
ceana, *sins.*
ceannaigheacht, f., *commerce.*
ceanntar, m., *district.*
ceap, m., *block, stock.*
ceard, (1) f., *art;* (2) m., *craftsman.*
ceileabhraim, *I bid farewell.*
céim, f., *step, degree, circumstance
way.*
ceist, f., *question;* pl. ceasta.
ceólán, m., *bell.*
ciartha, *waxed.*
cidh, *what?* c. fá, *why?*
cimeach, m., *prisoner.*
cineadh, m., *race.*
(1) cinnim, *I decide.*
(2) cinnim (ar), *I excel.*
cion, m., gen. ceana, *esteem, regard,
repute.*
ciorcaill, *circle.*
cíos-cháin, f., *tribute.*
clais, f., *trench.*
claochlódh, m., *changing.*
claoin-bhreath, f., *false judgement.*
cliar, f., *clergy.*
cloidheamh, m., *sword;* pl. cloidh-
mhe.
cloigeann, m., *skull.*
cnáimh, m., *bone;* pl. cnámha.
cnaipe, m., *button.*
cnead, f., *groan.*

cneadh, f., *wound.*
cnuasach, m., *gathering.*
cóigeadh, m., *fifth, province.*
cóigeadhach, *belonging to a fifth*;
    rí c., *king of a province.*
(1) coill, f., *wood.*
(2) coill, f., *breaking (a law).*
coimhdeacht, f., *accompanying*;
    i gc., *in attendance on.*
coimhdheas, *equally ready.*
coimhéad, m., gen. -éada, -éatta,
    keeping, watch, garrison.
coimheasgar, m., *combat.*
coimhéignighim, *I compel.*
coimhéirghe, f., *hosting, expedition.*
coimhfhialas, m., *kindred.*
coimhneartmhar, *strong.*
coimhthionóilim, *I assemble.*
coimhthionól, m., *act of assembling,
    community.*
coimirce, f., *protection, quarter.*
coinneal-bháthadh, m., (lit. *candle-
    quenching*), *excommunication, in-
    terdict.*
coire, m., *cauldron.*
coisgim, *I hinder.*
colbha, m., *post, door-post.*
colg, m., *prickle.*
colltar, m., *coulter.*
comaoin, f., *favour.*
combáidh, commbáidh, f., *affec-
    tion, partiality, alliance.*
comhagallamh, f., *conversation.*
comhaillim, *I fulfil.*
comhall, m., *fulfilling, fulfilment.*
comhdháil, f., *meeting, assembly.*
comhíhogus, m., *nearness.*
comhrag, m., *encounter.*
comhthuargain, f., *smiting.*
commaoidheamh, m., *boasting.*
commór, *equal.*
commóraim, *I convene, join (battle),
    agree, settle.*
confadh, m., *rage.*
congnamh, m., gen. conganta,
    help.
connradh, m., gen. connartha,
    compact.
conntabhairt, f., *danger.*
Corghas, m., *Lent.*
corn, m., *drinking-horn.*

corr, f., *heron.*
corthair, f., *fringe, border.*
cosgar, m., *triumph.*
cosgrach, *triumphant.*
cosmhail, *like, likely.*
cosnaim, *I defend.*
cosnamh, m., gen. cosanta, *defence.*
cráibhtheach, *pious.*
crann-chor, m., *casting of lots.*
crann saingeal, *chancel screen.*
crann-tábhaill, f., *sling.*
cré, f., gen. criadh, *clay.*
créacht, f., *wound.*
creanaim, *I spend, expend* (ré, *on*).
críonna, *prudent, wise.*
criothnughadh, m., *trembling.*
crúdhaim, *I milk.*
cruinn-chliatha, *round wattles.*
cuaille, m., *stake.*
cuibhrighthe, *bound, fettered.*
cuil, f., *fly.*
cúis, f., *matter, affair.*
cúitiughadh, m., *compensation.*
cúl, m., *back*; ar cúlaibh, *behind*;
    ar gcúlaibh, *backwards*; cor ar
    gcúl, *abolish.*
cumair, *brief.*
(1) cumha, f., gen. -dh, *sorrow.*
(2) cumha (comha), f., gen. id. and
    -dh, *condition, reward.*
cumhain, now cuimhin.
cumdach, m., *keeping safe.*
curata, *heroic.*

dabhach, f., *vat.*
dáilim, *I distribute.*
daingean, m., *fastness.*
dála, pl. of dál, *state, condition*;
    as prep. with gen., *as regards.*
dalta, m. and f., *foster-child.*
daltachas, m., *fosterage, main-
    tenance.*
daoirse, f., *bondage.*
daosgar-shluagh, m., *rabble.*
dásacht, f., *madness, violence.*
dealg, m., *brooch.*
deallruightheach, *brilliant.*
deas-ghruaidh, f., *right cheek.*
dearbhadh, m., *trial, test.*
dearmadach, *unmindful.*
dearóil, *mean, miserable.*

dearóile, f., *meanness, wretched-ness.*

deigh-eólach, *wise, prudent, experienced.*

deochain, m., *deacon.*

diamhair, *dark, secret*; as subst., *secret part, recess.*

díbirt, f., gen. díbeartha, *banishment.*

díbhfearg, f., *rapine.*

díbrim, *I expel, banish.*

díchreideamh, m., *disbelief.*

díchreitte, *not to be believed.*

dídean, m., *protection.*

díleas, *own, special*; *loyal, faithful.*

dímheas, m., *contempt.*

díochor, m., *removing, putting away.*

díoghal, f., *avenging, vengeance.*

diombuaidh, m. *defeat.*

diomdha, f., gen. -dh, *displeasure, indignation.*

díorghadh, m., *directing.*

díoth, f., *loss.*

dísleacht, f., *loyalty.*

díthreabh, f., *hermitage.*

diúltaim, *I refuse*; d. do, *I renounce.*

dlighim, *I ought, am bound, I deserve.*

dlightheach, *lawful.*

dlúimh, f., *mass, cloud.*

dlúith, *close, compact.*

docamhal, m., *difficulty.*

do-fhaisnéise, *indescribable.*

doghraing, f., *hardship.*

dóigh, f., *hope, trust, opinion.*

doilgheas, m., *sorrow.*

doineann, f., *bad weather.*

doire, m., *oakwood.*

doirb, f., *worm.*

doirtim, *I pour, spill.*

dream, m., *band.*

droch-fháistine, f., *prophecy of ill.*

droicheadóir, m., *bridge-maker.*

drong, f., *multitude, people.*

duadh, m., *trouble.*

dual, *inherited right or duty.*

dualgas, m., *tribute, due, lawful claim.*

dúil, f., *element.*

dúnadh, m., *fortress.*

dúthaigh,f.,gen.dúithche,*country.*

dúthchas, m., *hereditary right.*

eacht, m., *condition, stipulation.*

éacht, m., *exploit.*

eachtra, f., *expedition, adventure, story.*

eachtrann, m., *foreigner.*

éadáil, f., *spoil, gain.*

éadtarbhach, *useless.*

éagaim, *I die.*

eagar, m., *order, arrangement, array.*

éagcaoinim, *I complain.*

éagcruaidh, *infirm.*

eaglais, f., *church*; gen. eagailse; pl. id.

eagna, f., *wisdom.*

eagnaidhe, *wise.*

éalódh, m., *departure, flight, elopement.*

ealta, f., *flock.*

éara, m., *refusal.*

earr, m., *tail, end.*

easaonta, f., *disunion, enmity.*

easaontach, *hostile, violent.*

easbadhach, *needy, in want.*

éasga, m., *moon.*

easgainim, *I curse.*

easgar, m., *fall.*

easgara, m., *enemy.*

éidir, in phr. budh éidir, *it would be possible.*

eidir = idir.

éigean-dáil, f., *hard plight.*

éigse, f., *poetry*; (coll.) *poets.*

eineach = oineach.

éimdhim, *I refuse.*

éiric, f., gen. éarca, *fine, requital.*

eolach, m., *learned man.*

faill, f., *neglect.*

fáiltighim ré n-, *I welcome.*

faisnéis, f., *relating, telling.*

fáith-liaigh, m., *wizard-leech.*

fala, f., gen. -dh, *enmity.*

faltanas, m., id.

faoisidin, f., *confession.*

faomhaim, *I consent to.*

faon, *prostrate.*

fásach, m., *wilderness.*
fastódh, m., *retaining, detaining, maintenance.*
fásuighim, *I lay waste.*
feacht, *time, occasion.*
feadhmannach, m., *steward.*
fearann cloidhimh, *sword-land.*
feas, in phr. ní feas dóibh, *they do not know.*
feidhm, m., gen. feadhma, *operation, effort, use, function.*
feil-bheart, f., *treacherous act.*
féile, f., *hospitality.*
fiach, m., gen. féich, *raven.*
fian-bhoth, f., *hunting-booth.*
finn-sgéal, m., *romantic tale.*
fíochdha, *angry.*
fiodhbhadh, f., *wood.*
fionghail, f., *murder of a kinsman.*
fionghalach, m., *murderer, traitor.*
fionnaim, *I find out.*
fíoradh, m., *verifying, fulfilling.*
fíor-uisge, m., *fresh water.*
fír-ionnraic, *truly upright.*
fithcheall, f., gen. fithchle, *a game like chess.*
flaitheas, m., *sovranty, reign.*
fleadh, f., *feast.*
fóbraim, *I attempt, set about, mean.*
foghail, f., gen. foghla, *plundering.*
foghar, m., *sound.*
fógra, m., *proclaiming, proclamation, order.*
fogus, *near;* comp. foigse.
foillsiughadh, m., *showing, making known.*
foirceadal, m., *instruction.*
foirdhingim, *I press.*
foiréigneach, *violent.*
fóirim, *I help, save, rescue.*
foirtill, *strong.*
foluightheach, *secret.*
fonn, m., *land.*
for (archaic), *on.*
foráilim, *I order, command.*
for-aire, f., *guard, watch.*
forbhais, f., *siege.*
fortacht, furtacht, f., *help.*
fos, m., *halt, stay.*
foslongphort, m., *encampment, siege.*

freastal, m., *serving (of food, &c.), giving (battle).*
friochnamhach, *careful, attentive.*
friothbhualadh, m., *repercussion.*
friothólamh (-adh), m., *serving, waiting upon.*
fromhadh, m., *test, trial.*
fuadach, m., *carrying off.*
fuagra = fógra.
fuasgladh, m., *ransom.*
fuireach, m., *waiting, delaying.*
fuireann, f., *host, troop, people.*
furrthain, f., *sufficiency, due number.*
furtacht, f., *help.*

ga, m., gen. gaoi, pl. gaotha, *spear.*
(1) gá, int. adj., *what?*
(2) gá = cá, *where? how?*
gabháltas, m., *conquest.*
gáir, f., *cry.*
gairmim, *I call.*
gallán, m., *pillar-stone.*
gar, in phr. i ngar, *near.*
gé, *though.*
geanmnaidh, *chaste.*
gearánach, *uttering complaints.*
gein, f., *birth, offspring.*
geintlidhe, *magical.*
geis, pl. geasa, *spell, taboo.*
(1) giall, m., gen. géill, *hostage.*
(2) giall, m., *submitting.*
giallaim, *I submit.*
glas, m., *bar, prohibition.*
gleic, f., *struggle.*
glún, f., (a) *knee,* pl. glúine; (b) *generation.*
gnáth-ghuidhe, f., *constant prayer.*
gníomhuighim, *I do, perform.*
gob, m., *beak.*
goil, f., *valour.*
goimh, f., *pain.*
goin, f., *wound;* pl. gen. gon.
(1) gradh, m., *love.*
(2) grádh, m., *grade, degree.*
gráin, f., *horror.*
greamughadh, m., *grasping.*
greasacht, f., *instigation.*
greasaim, *I incite, instigate.*
greim, m., *hold.*
grian, m., *bottom (of sea, &c.).*

VOCABULARY

III

gríosaim, *I stir up.*
gríosuighim, id.
grod, in phr. go g., *soon.*
groigh, f., *stud of brood mares.*
guais, f., *danger.*
guasachtach, *dangerous.*
guilim, *I weep.*

iadhaim, *I close.*
iairmhéirghe, f., *matins.*
iall-chrann, m., *sandal.*
iaramh, *thereupon, then.*
iarla, m., *jarl, earl.*
imchian, *very long, far.*
imeagla, f., *great fear.*
imeall, m., *edge, border.*
impidhe, f., *intercession.*
imreasan, m., *strife.*
imrim, *I inflict, practise (death, deceit, &c.).*
imshníomhach, *anxious, distressed.*
inchinn, f., *brain.*
indéanta, *to be done.*
inghean, f., *daughter, girl, woman.*
inneall, m., *arranging, fitting, setting up; arrangement, array.*
innilt, f., *handmaid.*
innmhe, f., *wealth.*
íoc, m., *payment, retribution.*
íodhal, m., *idol.*
iodhan, *pure.*
iodhbairt, f., *sacrifice.*
iomarbháigh, f., *dispute, contention.*
iomcháineadh, m., *reproaching.*
iomráitteach, *famous.*
iomruagadh, m., *skirmishing.*
(1) ionar, m., *tunic.*
(2) ionar = i n-ar.
ionbhuailte ré, *able to fight against.*
ionchomhlainn, id.
ionchomhraig, id.
ionnarbaim, *I expel.*
ionnmhas, m., *wealth.*
ionnradh, m., *invading, harrying.*
ionnraic, *upright.*
ionnsaighe (-ghidh), f., *approach;* in phr. d'i., *towards, to.*
iontaobhtha, *to be trusted.*
iontuigthe, *to be understood.*
iorghail, f., *fight.*
itghe, m., *petition.*

iubhar, m., *yew.*
iúdhlaidhe (íodhlaidhe), *heathen.*

lacht, m., *milk.*
lachtna, *grey.*
láimh-dhia, m., *idol.*
lán, *full;* a l. (lit. *its full*), *many.*
láthair, f., gen. láithreach, *place, presence.*
leabaidh, f., *bed;* gen. leaptha; pl. leapthacha.
leac, f., *flagstone.*
leadrán, m., *importuning.*
leagáid, f., *legacy.*
léaghaim, *I read.*
leamhnacht, m., *new milk.*
leasg, *reluctant.*
leattromach, *partial.*
lia, m., *stone;* pl. -ga.
liaigh, m., *physician.*
lingim, *I leap.*
líon, m., *full number.*
liosta, *importunate, tedious.*
lobhar, m., *leper.*
loighead, *smallness, fewness.*
lón, m., *provisions.*
longphort, m., *stronghold, camp.*
lór, *enough.*
lorgaireacht, f., *investigating.*
los (*tail*), in phr. a los, *owing to.*
luachair, f., *rushes.*
luadh, m., *mentioning.*
luas, m., *speed.*
luchóg, f., *mouse.*
lucht, m., gen. lochta and luchta, *people.*
luingeas, m., *fleet.*
lúthgháir, f., *joy.*
lúthgháireach, *joyful.*

macaomh, m., *youth.*
machaire, m., *plain.*
magh, m. (originally n.), gen. moighe, pl. id., *plain.*
maic-cléireach, m., *young cleric.*
maic-leabhar, m., *copy, transcript (of book).*
maidhm, f., *rout.*
maille ré, *along with.*
mairg, f., *woe, moan.*
maithmheachas, m., *forgiveness.*

mart, m., *beef.*
marthain, f., *remaining.*
masla, m., *insult.*
méadughadh, m., *increasing, exalting.*
méala, m., *sorrow.*
meall, m., *lump.*
(1) meas, m., *thinking, estimation, judgement.*
(2) meas, m., *fruit.*
mí, f., gen. míosa, *month.*
miach, m., *measure, sack.*
mias, f., *dish.*
míchéillidhe, *mad, reckless.*
míghníomh, m., *evil deed.*
míochádhas, m., *dishonour.*
míochóirighim, *I destroy.*
míol, m., *animal.*
mionnuighim, *I swear.*
miosgais, f., *spite.*
mír, f., *piece, bit.*
mithidh, in phr. is m., *it is time.*
mocha, f., *earliness, early part.*
mogha, m., gen. -dh and -idh, *thrall.*
moghsaine, f., *servitude.*
moich-éirghe, f., *early rising.*
molt, m., *wether.*
móradh, m., *magnifying.*
muicidhe, m., *swineherd.*
muine, m., *thicket.*
muinighin, f., *trust, reliance.*
múr, m., *wall.*

nachar = nach ro before past tense, as nár = ná ro.
néall, m., *cloud, faint.*
neamh-chomhall, m., *non-fulfilment.*
neamh-ghnáthach, *unusual.*
neamh-urchóideach, *innocent.*
ní, m., *thing*; gen. neith; pl. neithe.
nó go (gur), *until.*
nochtaim, *I reveal, report, make known.*
nuimhir, f., *number.*

ó (archaic), *ear.*
obadh, m., *refusal.*
óg, m., *warrior.*
óglachas, m., *service.*
óglaoch, m., *warrior.*

óigh-réir, f., *submission, homage.*
oighre, m., *heir.*
oighreacht, f., *inheritance.*
oile = eile.
oileamhain, f., *nourishing, rearing.*
oineach, m., *honour, generosity.*
óinmhid, f., *fool.*
óir, *for.*
oirbheart, f., *ability.*
oirbheartach, *accomplished.*
oirbhire, f., *reproach.*
oircheas, *right, fitting.*
oirchill, f., *lying in wait, readiness.*
oirdhearcas, m., *renown.*
oireacht, m., *court, assembly.*
oireachtas, m., id.
ollamh, *ready.*
ollamh, m., gen. -an and ollaimh, *poet of highest rank.*
ollmhuighim, *I prepare, arrange.*
onchú, *wolf* (?).
ongadh, m., *anointing.*
ordughadh, m., *arrangement, array, manner.*
orlámh, f., *hand, keeping.*
osadh, m., *pause.*
oslaigthe, *open.*
othar, m., *sick or wounded man.*
othras, m., *sickness.*

peall (archaic), m., *horse.*
(1) port, *bank (of river).*
(2) port, m., *fort.*
préamh, f., *root.*
príbhléid, f., *privilege.*
prinsiopálta, *principal, leading.*
proinn, f., *meal.*
puball, m., *tent.*

ráidhim, *I say.*
rann, m., *part, party*; pl. -ta, *partisans.*
raobaim, *I tear, break.*
raon, m., *way.*
rath, m., *grace, good fortune.*
ré, f., *time, life.*
reabhradh, m., *play, sport.*
reachtaire, m., *steward.*
réamh-fhaigsin, f., *foreseeing.*
réamh-thosach, m., *van, head (of army).*

reanna, pl. of rinn, *star, constellation.*

reilig, f., *graveyard.*

réim-dhíreach, *in a straight course.*

reithe, m., *ram.*

réitteach, m., *settlement, reconciliation.*

riaghalta, *under rule*; bean r., *nun.*

riar, m. and f., *will, pleasure, desire, act of regulating, satisfying, supporting.*

riaraim, *I serve.*

ridire, m., *knight.*

ríghe, m., *kingship.*

righneas, m., *stiffness.*

rinn, f., *point.*

riocht, m., *shape, disguise.*

ríoghaim, *I make king.*

ríoghdhact, f., *kingship.*

ríogh-phort, m., *royal fortress.*

ríoghraidh, f., (coll.) *kings.*

rochtain, f., *reaching.*

roghain, f., *choice.*

roichim, *I reach, come to.*

ruagaim, *I expel.*

sádhaile, f., *luxury.*

saighdeóir, m., *archer.*

sainnt, f., *avarice.*

salchar, m., *uncleanness.*

saltair, f., *psalter.*

sanntuighim, *I covet, desire.*

saoi, m., *learned man, scholar.*

saor-chlanna, *nobles.*

saor-chlannda, *noble, high-born.*

saor-dháil, f., *privilege.*

sárughadh, m., *violating.*

sáthadh, m., *thrusting.*

séad, m., gen. seóid, *treasure*; pl. seóide; gen. séad.

séad-chomhartha, m., *monument, memorial.*

séanaim, *I deny, refuse.*

seasgaireacht, f., *comfort.*

seicne, m., *skull.*

seirg-lighe, f., *wasting, sickness.*

seithe (seiche), f., *hide.*

seoch, *beyond, rather than.*

seól-chrann, m., *mast.*

sgáile, f., *shadow, reflection.*

sgaoi, f., *herd, flock, number, some.*

sgaoilim de, *I let loose, set free.*

sgáth, m., *shadow, protection.*

sgéidhim, *I vomit, eject.*

sgiamh, f., *beauty.*

sgiobaim, *I snatch.*

sgiorraim, *I slip.*

sgolb, m. and f., *splinter.*

sgor, m., *troop (of horses), stud.*

sgoth, f., *wisp.*

sguibhéir, m., *squire.*

siabhra, *elf, fairy, phantom.*

siadadh, m., *swelling.*

sidhe, *blast.*

sileadh, m., *dropping.*

silleadh, m., *gazing.*

sínim, *I stretch, hold out, hand.*

sinnim, *I play (music).*

síodh, síoth, f., *peace.*

síodhach, *peaceful.*

síoladh, m., *sowing.*

sirim, *I seek, demand.*

siúr, f., gen. seathrach, dat. siair, *sister.*

slabhra, m., *chain.*

slánadh, m., *surety, guarantee.*

sléachtaim, *I bow, kneel.*

sléachtain, f., *kneeling, prostration.*

sleimhne, f., *slipperiness.*

sliasaid, f., *thigh.*

slíobadh, m., *stroking, licking.*

slios, m., *side*; ré sl., *beside*; pl. sleasa.

sluagh-bhuidhean, f., *army.*

snighe, m., *trickling, flowing.*

sochaidhe, f., *host, multitude, number.*

sochma, *cheerful.*

soi-bhéas, m., *good custom*; in pl. *good manners, morals.*

soileach, f., *willow.*

soitheach, m., *vessel.*

so-labhartha, *affable.*

so-mhaoin, f., *riches.*

spairn, f., *struggle.*

spréidh, f., *cattle, wealth.*

sróll, m., *satin.*

stoc, m., *trumpet.*

suaimhneas, m., *ease.*

súgradh, m., *play, banter.*

suim, f., *sum, amount, summary, substance, care, heed.*

I

tabhach, m., *levying, raising* (*tribute*).

tabhartas, m., *gift*.

tachtaim, *I choke*.

tafann, m., *chasing*.

tagraim, *I plead*.

táin, f., *drove*.

tairgsin, f., *offer*.

Tairngeartach, m., *Prophesied One*.

tairngire, f., *prophesying*.

taisgidh, f., *keeping, store*.

táith-liaigh, m., gen. -leagha, *surgeon*.

taoiseach, m., *chief, leader*.

tar, *over, beyond, past, in spite of*.

tár, m., *contempt*.

tarcaisne, f., *scorn*.

tásgamhail, *famous*.

teachta, *envoys*.

téad, m. and f., *rope*.

teagmháil, f., *encounter*.

teampall, m., *church*.

teannaim, *I tighten, contract*.

tearmann, m., *sanctuary*.

téarnó, m., *recovery*.

teasgaim, *I cut*.

teilgim, *I fling, throw*.

teirce, f., *scarcity*.

teithim (teichim), *I flee, fly*.

tillim, *I turn, return*.

timpireacht, f., *serving*.

tinneasnach, *hasty, quick*.

tiodhlacadh, m., *accompanying, gift*; pl. -laicthe.

tiodhlaicim, *I accompany, escort*.

tiomna, m., *will, testament*.

tionóilim, *I gather*.

tláith, *weak, cowardly*.

tógbháil, f., *raising, building*.

tógbhaim, *I raise, build*.

toghaim, *I choose*.

toghairm, f., *summoning*.

togharmach, m., *exorcist*.

tograim, *I desire, propose*.

toidheacht, f., *coming*.

tóir, f., *pursuit*.

toirlinghim = tuirlingim.

toisg, f., *need, object, purpose*; do th., *on account of*.

torc, m., *boar*.

tormach, m., *increase, burden*.

trá (thrá), *then, indeed, so, now*.

trácht, m., *trade*.

tráchtadh, m., *treating* (ar, *of*), *discussing*.

trasgraim, *I overthrow, throw down*.

treimhse, f., *period*.

tréin-fhear, m., *champion*.

tréin-mhíleadh, m., id.

triallaim, *I journey, march*.

tríocha(d), *thirty*.

triúcha chéad, *cantred*; see 11, 26 n.

troightheach, m., *foot-soldier*.

trom-shluagh, m., *mighty host*.

trosgadh, m., *fasting*.

tuairgneach, m., *striker, smiter*.

tuaisgeart, m., *the north*.

tuar, m., *omen, presage, foreboding*.

tuarastal, m., *wages, donation*.

tuargain, f., *smiting*.

tuath, f., *folk, district*.

tubaist, f., *misfortune, disaster*.

tuile, f., *flood*.

tuilleamh, m., *wages*.

tuirlingim, *I descend, dismount*.

uaigh, f., *grave*.

uaill-mhianach, *ambitious*.

uaimh, f., *cave*.

uamhan, m., *dread*.

uathfás (uathbhás), m., *terror*.

uch! *alas!*

udhacht, m., *will, testament*.

uinge, f., *ounce*.

uiríseal, *base, low-born*.

uirísle, f., *low condition*.

umha, m., *copper*.

umhal, *humble, subject, obedient*.

umhla, f., *submission, act of submitting*.

umhlacht, f., *submission*.

urchar, m., *casting, hurling*.

urdhubhadh, m., *eclipse*.

úr-luachair, f., *fresh rushes*.

urnaightheach, *prayerful*.

urra, f., *surety*.

urramach, *respectful*.

urramhanta, *daring*.

urusa, *easy*.

INDEX OF PERSONS

The numbers refer to the pages.

INDEX OF PLACES, PEOPLES, AND KINDREDS